afgesch

De taal van Berbers heeft geen woord voor grenzen

Bij EPO verschenen ook:

DE TAAL
VAN BERBERS
HEEFT GEEN
WOORD VOOR
GRENZEN

Abdelkader Zahnoun

Tekstredactie door Sabine Denissen en Hilde Craeybeckx
Opgedragen aan wijlen Hilde Craeybeckx

Omslagontwerp: Jan Depover (EPO)
Coverfoto: © Rudy Cleemput
Foto auteur: © Rudi Schuerewegen
Foto's boek: familiefoto's
Vormgeving: EPO
Druk: drukkerij EPO

© Abdelkader Zahnoun en uitgeverij EPO vzw, 2014
Lange Pastoorstraat 25-27, 2600 Berchem
Tel: +32 (0)3 239 68 74
Fax: +32 (0)3 218 46 04
E-mail: uitgeverij@epo.be
Web: www.epo.be
Volg dit boek op: www.facebook.com/Uitgeverij.EPO

Isbn 978 94 91297 99 1
D 2014/2204/19
Nur 680

Verspreiding voor Nederland
Centraal Boekhuis BV Culemborg

Inhoud

Proloog

Abdelkader Zahnoun

Antwerpen, 2013

Een droom heeft mijn slaap onderbroken. Het eerste daglicht schemert door de ramen. De droom zindert na. Hij voerde me naar de diepste beelden in mijn geheugen.

Ik dwaal rond in Lazaret, de wijk waar we woonden in Oujda. Ik word gedwongen almaar verder te gaan want ik zoek ons huis dat ik jaren niet meer heb gezien.

Er is veel veranderd. De mensen, de gebouwen. Maar onze straat ziet er nog net hetzelfde uit. Het is avond en de straten zijn helemaal bedekt met sneeuw, net een wit tapijt. Heel vreemd, want bij ons sneeuwt het bijna nooit.

De beelden komen en gaan. Ik zie ooms en tantes, sommige allang overleden. Ik zie ook mijn vriendjes die in dezelfde straat woonden toen we jong waren. We spelen even samen. En dan vind ik de deur van ons huis. Ik ben zo blij, ik ga binnen. Mijn moeder strijkt. Iemand klopt op de deur, ik doe open. Het is mijn vader. Ik gooi me in zijn armen en wil hem niet meer loslaten. Sinds hij van deze aarde vertrokken is, jaren geleden, mis ik hem nog elke dag.

Met een blij gevoel geef ik toe aan het ontwaken. Ik wil naar mijn moeder gaan, haar mijn droom vertellen en vragen of zij hem misschien kan verklaren. Maar het is slechts een droom en de dag start als geen ander...

Die dag wandel ik naar het Harmoniepark en zet mij op de bank waar mijn ouders altijd zaten terwijl mijn broers en ik voetbalden. Die eerste lentedag, de hoge bomen met hun kruin volop in de zon, de geur van de eerste nieuwe blaadjes die zich openvouwen, de stemmen van mijn ouders.... Het is me levendig bijgebleven.

Hier is de lente zo anders dan in Marokko. Niet zo overrompelend. De hemel niet zo blauw. Het licht is meer getemperd, telkens wisselend. Na de lange winter heeft de lente hier tijd nodig. De seizoenen woelen in de aarde, dat kan je ruiken. De vogels als eerste. Zij herkennen de signalen en roepen elkaar op. In de herfst vliegen ze in strakke lijn naar die ene plek waar ze moeten zijn. Heel, heel ver. En sommige vogels zullen het zelfs niet halen.

Zo is het leven. Wij komen en gaan, vroeg of laat zullen we vertrekken. Elke ziel heeft haar eigen moment. Maar afscheid nemen is moeilijk, vooral van een ouder, een kind, of van iemand die je na aan het hart ligt.

Ik denk aan mijn vader. Hij is niet meer bij de levenden. Mijn moeder woont alleen, maar ze is niet graag alleen. De kinderen houden haar zoveel mogelijk gezelschap of ze komt bij een van ons logeren. Maar vergis je niet, moeder is nog zelfstandig, alert en ze heeft een ijzersterk geheugen. Onder vrienden kan ze ook heel geestig uit de hoek komen.

Mijn moeder bracht vijftien kinderen ter wereld. Vier kinderen overleden na enkele maanden aan een ziekte, twee kinderen bleven in een miskraam. Negen zijn nog in leven. Dat zijn de feitelijkheden. Maar hoe was haar leven? Wij kennen haar als onze moeder, altijd het steunpunt van ons dagelijkse jonge bestaan. Wij herinneren haar stem, haar handen, haar geur en hoe haar spijzen smaakten. Maar hoe hield zij zich recht in moeilijke tijden? En die waren er veel.

Heel veel. Welke vreugden leefden in haar hart? Wat dacht ze in tijden van onrust? Wat dacht ze van al die dramatische gebeurtenissen in ons land, van zoveel onbegrip, van zoveel onzekerheid en machteloos ondergaan?

Zittend op 'hun' bankje in het park bedenk ik: 'Ik ga het haar vragen.' Ze woont niet ver en onderweg koop ik nog wat fruit. Een cadeautje meebrengen is de gewoonte als we langskomen. Na een kopje koffie beginnen we te praten. Ik vraag haar alles te vertellen. Over de familie, haar vader, oom Hamadi, oom el Mehdi, andere familieleden, hoe ze hebben geleefd tijdens de Rifoorlog. 'En jij, mama, hoe was je leven toen, vertel alles, ook wat je nog niet hebt verteld, wat we nog niet weten.' Ze maakt een gebaar: 'Maar jongen toch, dat is veel te lang, veel te ingewikkeld. Waarmee moet ik beginnen?'

Ze zet zich recht en begint. Een verhaal dat niet meer te stelpen is. Steeds komen er mensen bij, familieleden, namen, feiten, verhalen, zoals het haar te binnen schiet. Een familiegeschiedenis die betekenis krijgt in het licht van de grote gebeurtenissen die zich in ons land en in haar leven hebben afgespeeld.

De Maghreb

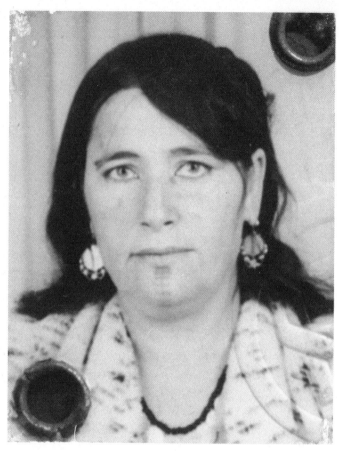

Mijn moeder Fadma Bent Moh ou Dadi N'Tahar. Ze bracht vijftien kinderen op de wereld. Vier overleden na enkele maanden aan ziekte, twee bleven in een miskraam. Negen zijn nog in leven.

Fadma Bent Moh ou Dadi N'Tahar

De Rif, 1912-1927

Mijn naam is Fadma Bent Moh ou Dadi N'Tahar, geboren in juli 1927 in Ait Touzine, in het dorp Imiyayen, in de Rif. Een strook bergland ten noorden van Marokko langs de Middellandse Zee. Ik kom uit een groot gezin. Ik had broers en zusters, halfbroers en halfzusters. Vele kinderen omdat mijn vader Moh ou Dadi in zijn leven met vier vrouwen trouwde. Na elkaar wel te verstaan. Mijn moeder was zijn vierde en laatste vrouw. Moh ou Dadi was in die tijd een welstellend man, met veel grond en huizen waarvan de familie jaren heeft kunnen leven. Hij was streng en moedig en genoot hoog aanzien in het dorp.

Het dorp zelf was klein en lag in een mooi gebied met bergen en bossen. Ons huis lag midden in de bergen. Wij hadden fruitbomen, groenten, bloemen en planten en dronken zuiver water uit de waterput of het water van de snelle beken in de bergen. Af en toe hoorden we de wolven huilen in het woud. Er leefden ook hyena's, everzwijnen, slangen en vossen. De vossen slopen soms de dorpen binnen, maar werden verjaagd door de honden.

Niet alles is zo rustig en vredig gebleven als dit landschap uit mijn jeugd. Ons volk heeft in de Rif een harde strijd gevoerd, de Rifoorlog. De Rifoorlog was geen oorlog tussen twee staten zoals in de geschiedenisboeken werd verteld. De Rifoorlog was een vrijheidsstrijd van onze bevolking tegen een vreemde bezetter.

'Om de geschiedenis van onze familie te kunnen begrijpen', zegt mama, 'moet ik zelf teruggaan naar mijn jeugd en de verhalen die mijn moeder ons als kind vertelde over haar jeugd en het wedervaren van mijn vader.'

Toen mijn moeder – jouw grootmoeder – jong was, was er tussen de Europese grootmachten al decennialang een strijd aan de gang om de grootste en rijkste stukken van Afrika als kolonie in te palmen. Elk land wou een of meerdere gebieden inlijven om zich te kunnen verrijken met de grondstoffen die overal in Afrika aanwezig waren. In het begin werd ons land, Marokko, ongemoeid gelaten. Marokko was geen verdeeld land met verschillende stammen, maar een samenhangende natie met eigen structuren en instituties. Een land dat al sinds meer dan duizend jaar bestuurd werd door een sultan die alle machten en bevoegdheden verenigde. Marokko was volledig geïslamiseerd en we stonden bekend voor ons hard-nekkig verzet tegen elke vreemde inval. De Europese staten respecteerden dit en hielden zich in het begin op afstand.

Niet voor lang, want de ligging van Marokko was te aan-trekkelijk voor de Europese landen. Marokko was maar een boogscheut van het Europese continent verwijderd door een zee–engte van ongeveer 60 km, de Straat van Gibraltar. Deze zee–engte was voor het Westen de enige toegang tot de Middellandse Zee en verder, via het kanaal van Suez, tot het Midden- en het Verre Oosten. Vanuit de westelijke kust van Marokko hadden ze ook toegang tot de vele Afrikaanse kust-landen en, via de stromen en rivieren, tot diep in het hart van Afrika. Voor Europa was het nabije Marokko dus niet alleen het vertrekpunt naar het oosten, maar ook naar het zuiden.

Mijn grootmoeder Fadma Bent Si Amar. Toen zij jong was, vochten de Europese grootmachten voor een stukje Afrika.

Iedereen lag daarom op de loer en elk voorval was voor de Europese landen een voorwendsel om militair op te treden op het Marokkaanse grondgebied. Een incident aan de Algerijnse grens was aanleiding voor het Franse leger om de stad Oujda en het Beni Snassengebergte te bezetten. Europese arbeiders in de haven van Casablanca werden overvallen en de Franse troepen streken neer in Casablanca en omgeving. Een overval op Spaanse mijnarbeiders in de Rif zorgde ervoor dat een Spaans leger van 40.000 man de Straat van Gibraltar overstak en ter plaatse kwam.

Er volgden meer en meer volksopstanden als protest tegen de zwakheid van de regering tegenover de Europese landen, maar het mocht niet baten. De Rif, de vrij arme bergstreek waar mijn moeder al vijfentwintig jaar woonde, werd van de ene dag op de andere bezet door Spanje en zijn leger. De streek werd plotseling het 'protectoraat' of 'het Spaanse protectoraat'. Het andere deel van Marokko werd vanaf 1912[1] bezet door Frankrijk en zijn leger: 'het Franse protectoraat'. Het grondgebied van Marokko werd plots afgebakend door twee totaal andere en vooral vreemde grenzen: de Franse en de Spaanse.

'Maar hiermee was er allerminst enige vorm van rust gekomen', vervolgt mama.

In 1921 – toen grootmoeder nog een jonge vrouw was – weerklonk een stem, een krachtige stem. Een stem die zei wat de mensen dachten en voelden: 'De bezetting is een

---

1 De ondertekening van het Verdrag van Fez.

onrecht. Wij waren de eerste bewoners van dit land. Wij hebben de aarde hier bewerkt en vruchtbaar gemaakt. Wij hebben de huizen hier gebouwd. Wij noemen ons "Imazighen, de vrije mensen".[2] Wij hebben onze eigen taal. Komt allen. We verenigen ons in de strijd. Nu. Zonder uitstel.'

Dit waren de woorden van een schrandere Riffijn, Abdelkrim El Khattabi, zoon van een caïd[3], een hooggeleerde islamitische rechtsgeleerde van de Berberstam Ait Waryaghar. Abdelkrim was als jonge man opgeleid in de rechten aan de beroemde Kairouanuniversiteit van Fez en was op dat moment *Qadi al Qudat,* opperrechter van het gebied van Melilla.

Mijn vader, Moh ou Dadi, en zijn broer Hamadi waren gezellen en medestrijders van deze man die veel respect afdwong en hoog in aanzien stond. Oom Hamadi werd benoemd tot *caïd mitneen* en kreeg de leiding over tweehonderd strijders. Een andere oom, el Mehdi, voegde zich als strijder bij het Riffijnse leger. Mijn vader kreeg de titel van onder-*caïd* en had als opdracht de dorpen te bezoeken en de mannen bij elkaar te roepen. Hij moest hen overtuigen samen te strijden voor de bevrijding van de Rif.

Velen sloten zich aan bij de bevrijdingsstrijders, de Moedjahedien. Ze werden in groepen verdeeld en verspreid in de bergen opgesteld. Ze voerden een guerrillaoorlog, de

---

2   De Berbers noemen zich 'vrije mensen'; in hun taal bestaat er gewoon geen woord voor 'grens' of 'grenzen'.

3   Abdelkrim stichtte de *codaten,* een organisatie van rechters of *caïds.* Elke *caïd* had ook het bevel over een groep strijders: *caïd mia* over 100 strijders; *caïd mitneen* over 200 strijders enz. De hoogste *codaat* was Abdelkrim zelf.

enige mogelijke tactiek om met beperkt materiaal en een beperkt aantal manschappen het hoofd te kunnen bieden aan de overmacht van het 'onoverwinnelijke' Spaanse leger. Abdelkrim was hun leider, hun inspirator en de strateeg van de bevrijdingsopstand. Hij beschikte niet over moderne wapens, wel over een briljant verstand.

Zijn Riffijnse strijders waren allemaal sterke, gelovige en hardwerkende Berberboeren uit de bergen die zich ontplooiden tot heldhaftige strijders. Met geweer en kogels vielen ze snel en onverwacht de Spaanse troepen aan, nog voordat de Spanjaarden de tijd hadden hun moderne wapens op te stellen.

De eerste grote veldslag had plaats in Dhar Obaran.

Abdelkrim had vernomen dat het Spaanse leger verder oprukte naar het gebied van zijn stam. Hij riep zijn driehonderd strijders op om weerstand te bieden en richtte zich ook tot de naburige Temsamanestam om in geval van nood versterking te leveren. Hij waarschuwde de Spanjaarden de rivier Agzhar Amerghan niet over te steken of hij zou het invasieleger de oorlog verklaren. De Rifstrijders stonden zij aan zij, te paard en met geladen geweer, als een gesloten muur aan de oever van de rivier. De Spanjaarden begonnen toch aan de overtocht. De Riffijnen boden onmiddellijk gewapende weerstand. Hun aanval was zo doeltreffend dat de Spanjaarden niet anders konden dan zich terugtrekken.

Deze eerste overwinning had een grote psychologische impact op ons volk. Dat een kleine groep van driehonderd strijders erin geslaagd was een Spaans leger te overwinnen en op de vlucht te doen slaan, was een nooit geziene gebeurtenis die de mensen de ogen opende. Zo'n krachttoer had niemand voor mogelijk geacht. Abdelkrim kreeg de bijnaam 'de leeuw van de Rif'. Dhar Obaran was de eerste veldslag, het begin van de Rifoorlog op 1 juni 1921.

Maar de Spanjaarden gaven zich niet gewonnen en na Dhar Obaran dwong generaal Silvestre de Riffijnse strijders, onder wie ook mijn vader en mijn ooms, tot meer veldslagen. Veldslagen in en rond Ait Oulichek, Ait Said, Ibdarsen, Ait Bu Yahyi, Ait Touzine, Tafarsit, Temsamane en nog andere plaatsen. De Rifstrijders behaalden de ene overwinning na de andere. Vaak konden zij ook een nuttige buit aan wapens binnenhalen.

Abdelkrim stelde vast dat door zijn tactiek van verrassingsaanvallen, door de talrijke veldslagen en de spreiding van zijn troepen, het Spaanse leger meer en meer verzwakte, dat hun bevoorradingslijnen steeds langer werden en dat de Spaanse eenheden steeds dunner verspreid waren over het gebied. De hardnekkige weerstand van zijn Berberstrijders was zo sterk dat de Spaanse legerleiding haar troepen noodgedwongen moest terugtrekken in de centrale militaire vesting van Anwal, ten westen van Melilla. De vesting verleende onderdak aan 60.000 manschappen en een groot deel van de generale staf. Dit weerhield het Riffijnse leger niet om de vesting te omsingelen en aan te vallen. Slechts weinig Spaanse soldaten konden ontkomen.

Over het juiste dodental zijn weinig tot geen exacte cijfers bekend. Officieel sprak men van een cijfer om en bij de 14.000, maar mogelijk zijn er 19.000 Spaanse soldaten gesneuveld. Generaal Silvestre die rekende op een klinkende overwinning en een definitieve oplossing voor het

'Marokkaanse probleem' had die ochtend nog arrogant verklaard dat 'hij 's avonds muntthee zou drinken in het huis
van Abdelkrim, of deze het nu toeliet of niet'. De generaal
overleefde de veldslag niet. De geruchten doen de ronde dat
hij de hand aan zichzelf sloeg.

De Rifstrijders hadden die dag ook een gigantische voorraad wapens buitgemaakt: 129 kanonnen, 400 machinege-
weren en 20.000 geweren.

Het hoog aantal gesneuvelde Spaanse zonen, betreurd
door talloze moeders en vaders, veroorzaakte bij onze vij-
and een psychologische schok.

'Ook aan de zijde van de Rifstrijders vielen talloze slachtoffers tijdens de vele veldslagen', vertelt mijn moeder verder. 'De doden en de gewonden werden gelegd op karren,
getrokken door paarden of muilezels. De gewonden werden
voor verzorging naar hun dorp gebracht, de doden naar hun
familie om gewassen en begraven te worden. Zo ook verging
het mijn vader. Mijn vader was zwaargewond. Hij was in
1924 bij de veldslag in Tafarsit door een kogel in het hoofd
getroffen maar, wonder boven wonder, hij overleefde de
schotwonde.'

Nadat mijn vader thuis was gebracht, werd hij in bed gelegd.
De familie kwam samen, ongerust, bang dat hij zou sterven.
Ze had een kruidenvrouw gehaald om hem te verzorgen.
Diezelfde avond vernam ook oom Hamadi het nieuws en
hij kwam aangesneld om zijn broer met eigen ogen te zien.
Mijn vader lag in bed, het hoofd omzwachteld in een witte
doek, en leed enorm veel pijn. Oom Hamadi ging naar alle

kruideniers van het dorp en verzamelde alle planten en kruiden die de kruidenvrouw nodig had. Na enkele dagen verzorging was de toestand van de patiënt iets verbeterd en werd de pijn draaglijk. De kogel in zijn hoofd had hem niet gedood, maar de zenuwen van zijn ogen waren zwaar beschadigd. Hij kon niet meer zien. Mijn vader, Mo ou Dadi, was blind voor het leven.

Op een avond besloten Hamadi en mijn blinde vader dat opnieuw trouwen de beste oplossing voor vader was. Een maand later was mijn vader genezen van de zware wonde, hij kon zich zelfstandig behelpen en met een stok lopen. Inmiddels had oom Hamadi een vrouw uit het dorp Yarma-was voor vader gevonden. Zij heette Fadma Bent Si Amar. Haar vader was een imam die de Koran onderwees aan kinderen. De imam was Hamadi's vriend en zijn dochter werd mijn moeder, jouw grootmoeder. Ik ben haar eerstgeborene.

Op de trouwdag is mijn familie de bruid en haar familie gaan halen. Vroeger was het eenvoudig om een huwelijk te sluiten: als de twee families akkoord gingen en de zoon en de dochter hun instemming gaven aan hun ouders, huwde men voor de imam op islamitische wijze. De imam las voor uit de Koran voor de mannen; in een andere kamer zongen de vrouwen religieuze en traditionele liederen voor en rond de bruid en speelden op de bendir.[4] Sommige vrouwen brachten een geschenk mee. Een deken, een kleed, een zilveren ketting of een armband. Wanneer iedereen gegeten en gedronken had, namen de genodigden afscheid van de

---

4   Een slaginstrument.

familie en werd het beste gewenst voor de toekomst van het huwelijkspaar. Daarna vertrok iedereen naar huis.

Dan kwam de tijd voor de gehuwden om elkaar voor het eerst te ontmoeten en elkaar te leren kennen. Mijn blinde vader kon echter nooit zijn bruid zien. Voor mijn moeder was het een hele verantwoordelijkheid, maar van het begin ging ze ermee akkoord om met een blinde man te leven. Samen leren leven, dagdagelijkse beslommeringen delen, een diep gesprek voeren, luisteren, aanraken, voelen en gevoelens opbouwen voor elkaar.

Na de bestorming van Anwal werd alles weer rustig. Voor een tijdje…

In Spanje was de hele bevolking in rouw en ontzet over de dood van zoveel duizenden jonge mannen. In het land heerste onbegrip over de nederlaag van het grote, beroemde Spaanse leger. De politici zochten een of ander complot achter het militaire falen en eisten dat de schuldigen van de verloren veldslag zouden worden aangeduid. De rol van de koninklijke entourage bleef niettemin onbespreekbaar. Regeringen vielen, aanslagen werden gepleegd, en een staatsgreep bracht een dictator aan de macht: Primo de Rivera.

Ondertussen stak Abdelkrim zijn energie in de organisatie van het snel aangegroeide Riffijnse leger en de opslag van de buitgemaakte wapens. Door de aangroei van manschappen en wapens moest het leger een efficiënte structuur krijgen. Vrijwilligers moesten geoefend en gedrild worden. Ze moesten leren zich aan discipline te houden. Financiën moesten beheerd worden. Paarden en muilezels vroegen bijzondere zorg en uitrusting. De veroverde gebieden en hun bevolking moesten toevertrouwd worden aan ervaren mensen. Scholen dienden opgericht en gezondheidsdiensten ingericht.

Inmiddels werd het 1925. De Fransen kwamen in beweging. Ze trokken vanuit het zuiden van Marokko naar het noorden langs een vallei waar Abdelkrim voorheen zijn voorraden haalde. Abdelkrim viel aan en bereikte bijna Fez. Een geweldige schok voor zowel de Fransen als de Spanjaarden. Ze zagen dat de Rifstrijders niet enkel de Rif verdedigden maar evengoed opereerden in het Franse protectoraat en zelfs het bolwerk Fez bedreigden. Ze namen zelfs Taza in en verhinderden het Franse leger om Algerije te bereiken.

Ook in het zuiden van het Franse protectoraat zorgden ze voor onrust. Meerdere grote stammen verenigden zich en manifesteerden luidruchtig tegen de vreemde bezetting. Deze stammen waren minder gestructureerd dan de Riffijnen maar ze spraken harde taal en vooral: hun aantal begon te groeien. Als deze stammen zich zouden verenigen met de strijders van Abdelkrim werd het voor de bezetter wel erg heet onder de voeten! Frankrijk en Spanje kwamen overeen dat zij de vrijheidsstrijders en Abdelkrim moesten vernietigen, hierin bijgestaan door de Europese mogendheden die dezelfde vrees voor Abdelkrim deelden en de twee landen aanmoedigden. Frankrijk en Spanje besloten een gelijktijdige actie te ondernemen, ieder met een eigen actieplan.

De Spaanse dictator Primo de Rivera organiseerde een gedurfde en verrassende actie met troepen die vanuit Spanje werden verscheept naar de Marokkaanse kust om daar te landen bij Al Hoceima, ondersteund door de luchtmacht.

Bij hun landing werden de Spaanse soldaten opgewacht door de Riffijnen. Een moordende veldslag volgde. De aarde van de kust kreeg de kleur van bloed, net als de zee. Zij werd het graf van honderden.

'Caïd Hamadi, onze oom', vervolgt mijn moeder, 'is daar in volle gevecht achter zijn mitrailleur gesneuveld, omringd door lege kogelhulzen. Hij werd niet door een kogel getroffen, Hamadi werd gedood door een bom. Het werd voor onze familie een dag van rouw en ontroostbaar verdriet. Hamadi werd op een tafel gelegd, door de mannelijke leden van de familie gewassen en de volgende dag begraven. Op de begrafenis waren alle mensen van onze stam aanwezig, net als vrienden en medestrijders.'

Aan Franse zijde werd het bevelhebberschap toevertrouwd aan maarschalk Pétain, de held van de Eerste Wereldoorlog. Hij voerde het bevel over een enorm leger. Het aantal manschappen varieerde volgens de geraadpleegde bron: van 400.000 manschappen tot zelfs 700.000. Het leger van de vrijheidsstrijders telde amper 65.000 manschappen. Het Franse leger beschikte bovendien over een moderne artillerie en brandbommen. Die brandbommen werden zelfs gebruikt in dichtbevolkte wijken. Dorpen, stadswijken, gehuchten, ze werden allemaal platgelegd met de ondersteuning van de luchtmacht. Sommige bronnen vermelden zelfs het gebruik van gifgas. Ondertussen hielden zes fregatten de wacht voor de Marokkaanse kust.

Het optreden van het Franse leger in Marokko heeft in Frankrijk geleid tot felle reacties. De regering is diverse keren gevallen wegens het onverantwoorde geweld. De Franse bevolking gaf meermaals haar afkeuring te kennen. De arbeidersorganisaties hebben op 12 november 1925 een nationale manifestatie gehouden om te protesteren tegen het hardhandige optreden van het Franse leger. In Parijs namen 900.000 mensen deel aan deze betoging.

De gevolgen van dit soort oorlogsvoering waren verschrikkelijk voor de burgerbevolking en daarom besloot Abdelkrim te capituleren. Op 17 mei 1926 gaf hij zich over en legde zijn lot in handen van het Franse leger.

Abdelkrim werd voor 21 jaar verbannen naar het eiland Réunion, ver weg in de Indische Oceaan, ten oosten van Madagascar. De 'leeuw van de Rif' ging echter in op het enige aanbod voor asiel dat hij en zijn familie aangeboden kregen, het aanbod van koning Farouk uit Egypte en hij vestigde zich in Caïro. Daar werkte hij voor het Noord-Afrikaanse Agence du Maghreb en had zo grote invloed op de internationale persagentschappen en op de wereldopinie. Abdelkrim had niet de minste sympathie voor de nieuwe nationalistische leiders, maar hij verwierp ook het terrorisme. Hij bleef rechtlijnig zijn principes naleven, zijn strijd had louter tot doel Noord-Afrika te bevrijden van elke vreemde overheersing.

Marokko, de Grote Droogte, begin jaren 40

In 1944 werd ik zeventien en volgens onze gebruiken was het tijd om te trouwen. Er waren al meerdere mensen uit de omliggende dorpen op bezoek geweest om mijn hand te vragen. Maar de voorkeur van mijn ouders ging uit naar een man die sergeant was in het leger. Zijn naam was Charadi Mohamed. Hij was tweeënveertig jaar oud en sprak Arabisch, Berbers, Spaans en een beetje Frans. Ik kende hem niet, had hem nog nooit gezien of gesproken maar men vertelde dat hij een goede man was, een eervolle sergeant en dat hij behoorlijk de kost verdiende.

Charadi was een van de vele Berbers die, ondanks de Spaanse bezetting, uit pure armoede het aanbod van generaal Franco had aanvaard om voor een maandsalaris aan zijn zijde te strijden in de Spaanse burgeroorlog van 1936 tot 1939. Omdat Charadi vier talen beheerste, werd hij meteen aangesteld als sergeant over een honderdtal voornamelijk Berberstrijders. Hij kon immers perfect als tolk fungeren tussen de uitsluitend Arabischsprekende strijders en de legerleiding. Toen hij met generaal Franco en de nationalisten vocht in Madrid, liep hij een schotwonde aan zijn been op en werd hij invalide verklaard. Ik was tevreden dat ik kon trouwen met een sergeant en mijn ouders waren tevreden dat ik mijn jawoord gaf.

In die periode kondigde de Grote Droogte zich in volle hevigheid aan. Mijn vader besloot onverwijld naar Algerije te vertrekken om daar huisvesting te zoeken voor de hele familie en ze zo te beschermen tegen de hongersnood die Noord-Marokko zou teisteren. Oom el Mehdi nam zijn taak over bij de voorbereiding van mijn huwelijk en zou in zijn naam de plechtigheid vervullen, gestaafd met een schriftelijke volmacht. Maar de volmacht bleek, toen het huwelijk naderde, niet voldoende. De regel eiste dat twaalf volwassen personen op de plechtigheid konden bevestigen dat de vader van de bruid wel degelijk in het buitenland verbleef. Dit op zo'n korte tijd in orde brengen, was niet eenvoudig.

Enkele weken later volgde het huwelijksfeest. Alle familieleden en buren waren aanwezig. Er werd gedanst en in het Tarifit[5] gezongen. Op het einde van het feest ging ik voor het eerst naar onze nieuwe woning, vlakbij, een eigendom van mijn vader Moh ou Dadi. Voor mijn vertrek had mijn moeder nog even tijd genomen voor een gesprek over mijn man. 'Wees gehoorzaam', zei ze, 'en niet koppig, want dat zorgt alleen maar voor problemen. Het belangrijkste is dat jullie kunnen luisteren naar elkaar, met elkaar kunnen praten en elkaar begrijpen. De man is altijd degene die verantwoordelijk is voor het inkomen en jij bent verantwoordelijk voor het huishouden. Men zegt over Charadi Mohamed dat hij van goede familie is, maar je weet nooit. Als er iets gebeurt tussen jullie waarmee je niet akkoord gaat of als je niet gelukkig bent, hou me op de hoogte. Maar, insjallah, er zal niets gebeuren en ik wens mijn dochter een gelukkige toekomst en vele kinderen.'

Ik hoopte oprecht dat ik gezond mocht blijven en gelukkig samenleven met mijn man. Enkele dagen later nodigden we de familie van mijn man uit om beter kennis te maken. Het werd een gezellige avond en mijn man was tevreden dat alles zo goed verlopen was. Na vijf jaar huwelijk had ik drie kinderen op de wereld gebracht: Temouch, een meisje, en Chaïb en de pas geboren Mohamed, twee jongens.

---

5   Tarifit: dialect van de Riffijnen.

Voor de Rif waren die jaren enorm moeilijk: drie jaar lang had het niet meer geregend. De grond was uitgedroogd, er groeide bijna niets, de waterputten waren leeg en de groene kleur van de bossen en bergen was vaal geworden. Er kon niets meer worden geoogst. Het waren echte hongerjaren. Er vielen veel slachtoffers. Op de wegen en de velden, in de huizen, overal vond je lichamen van mensen die van de honger waren omgekomen. Ook het vee was erg uitgedund. Hun karkassen lagen verspreid in de weilanden.

Op een namiddag in de zomer van 1945 – het was heel warm – stond ik op de binnenkoer te wassen. Mijn man was in zijn kamer. De mensen die konden binnenblijven, bleven binnen. Alles was stil en roerloos. Plotseling werd ik opgeschrikt door heftig gebonk op de deur en ik hoorde mijn moeder in paniek gillen. Ze droeg mijn zusje Fatima op haar rug. 'Fatima heeft wild gras gegeten, ze had zo'n honger, ze zou om het even wat eten. Ze is op de grond gevallen, ze beweegt niet meer. Misschien is ze dood.'

De buik van Fatima was enorm gezwollen. Gelukkig had mijn man ervaring in zulke gevallen. Hij stopte me enkele kruiden in de hand en vroeg me daarmee soep te koken. Wanneer de soep klaar was, nam hij Fatima's hoofdje in zijn arm en liet haar ervan drinken. Na een tijdje zagen we wat leven in haar gezicht verschijnen en het meisje prevelde enkele woorden. Echter niet voor lang. Ze verloor opnieuw het bewustzijn.

Mijn man besloot naar Melilla te gaan, naar het militair hospitaal. In onze wijk was er geen dokter of hospitaal op bereikbare afstand. In geval van zware ziekte of ongeval moest je naar de stad Nador gaan.

Na het vertrek van Charadi kwamen mijn broers binnen. Zij kwamen van het bos, ze hadden gezocht naar iets om te eten. Maar ook in het bos was alles verdord. Op de cactusbloemen na was er niets eetbaar. Ze brachten een zak gele cactusbloemen mee. Die hebben we gekookt, met stekels en al, en opgegeten. Zo'n honger hadden we. Het was een tijd die onuitwisbaar in mijn geheugen gegrift staat. De droogte maakte zoveel slachtoffers.

Laat in de avond kwam mijn man terug van Melilla met de nodige medicatie, raadgevingen en ook wat voedsel. Hij had inspuitingen bij en hij had gelukkig ook de nodige ervaring met spuitjes en dergelijke. Het was angstig afwachten, maar na een tiental minuten nam de zwelling af en kwam er wat kleur in haar gezichtje. Fatima begon te spreken en te wenen. Later kon ze ook weer op haar benen staan. Wat een opluchting.

Veel Rifbewoners trokken verder het Marokkaanse binnenland in. Nog veel meer mensen vertrokken, net zoals mijn vader, naar het naburige Algerije omdat er daar geen schaarste was en bovendien werk. Voor mijn vader leek dit de enige kans om zijn gezin te behoeden voor de miserie. Zijn plan was om eerst alleen ter plaatse te gaan op zoek naar een onderkomen en vervolgens terug te keren om vrouw en kinderen op te halen. Hij nam geld en goud mee. Chaïb, een van mijn broers, zou onze blinde vader begeleiden en bijstaan.

Mijn nonkel Chaïb Dadi. In 1944 vertrok hij te voet, samen met mijn grootvader, naar Algerije.

Chaïb Dadi

De tocht naar Algerije, 1944

In de maand september 1944 vertrokken mijn vader Moh ou Dadi en ikzelf, Chaïb, te voet naar Algerije. Ik was dertien jaar oud. Mijn vader in de zeventig. Het was bloedheet en we vonden nauwelijks water om te drinken. 's Nachts sliepen we buiten op de grond.

Onderweg ontmoetten we een echtpaar dat eveneens onderweg was. We besloten samen onze tocht verder te zetten, we hadden nog een lange weg te gaan. De tocht was moeilijk. De man stapte samen met zijn twee kleine meisjes van vier en zes jaar oud en zijn zwaar zieke vrouw. We moesten telkens halt houden om haar even te laten rusten.

Wat verder vervoegde nog een man ons groepje. En iets verderop kwamen we een eenzame hond tegen, graatmager. Ik gooide hem een homp brood toe, hij vloog erop af en schrokte het brood op. Sinds dat ogenblik bleef de hond mijn metgezel. Als ik ging zitten, ging hij ook zitten. Hij werd mijn trouwe vriend en ondanks de schaarste, deelde ik mijn weinige eten met hem.

Op een avond, bij het vallen van de nacht, vonden wij een plek aan de voet van een berg waar we onder twee kleine bomen konden slapen. Het moet rond middernacht geweest zijn toen de hond heel hard begon te blaffen, zonder ophouden. Iedereen werd wakker. De hond stond te beven, hij trilde op zijn poten. Hij was bang. Toen hoorden we keitjes de berg afrollen. Het was te donker om iets te zien, maar mijn vader had een sterk vermoeden. Boven zaten hyena's te wachten, op zoek naar eten, of roken ze al de dood? Ons enige reddingsmiddel was, volgens mijn vader, vuur maken. Tot onze grote opluchting had iemand lucifers op zak. Touwen hadden we zelf bij en zo maakten we toortsen. Met deze geïmproviseerde fakkels trokken de mannen de berg op om de hyena's te zoeken en hen met stenen en keien te bekogelen. Het waren er twee en zij lieten ons niet los. Ook niet toen we naar een andere plek verhuisden. Ten slotte hebben we verschillende kampvuurtjes rond onze slaapplaats aangestoken om ons te beschermen. De hyena's gingen niet weg maar bleven wel op een afstand, tot de eerste lichtstralen de horizon deden verbleken en we onze reis verder konden zetten. De hyena's gaven ons een onheilspellend gevoel.

Diezelfde namiddag was het erg warm geworden en plotseling moesten we stoppen omdat de vrouw krachteloos op de grond viel. De man probeerde zijn vrouw recht te krijgen, maar het was vruchteloos. Ze stierf ter plaatse. De man was radeloos. De twee kinderen vielen wenend op hun moeder en bleven maar huilen en roepen. Tevergeefs.

Wij stonden hulpeloos en probeerden hen te troosten: 'Zij heeft geen pijn meer. Het is Gods wil. Het is het lot.' Zo hard. Zo definitief. Wij konden niet onmiddellijk vertrekken. Eerst moest de arme vrouw worden begraven. Er was geen huis, geen mens in de buurt. Niets dan de hoge, zwijgende bergen. We hebben een graf gedolven voor de vrouw, voor haar gebeden en uit de Koran voorgelezen. Toen trokken we verder. De man huilde onafgebroken. Af en toe nam hij een van zijn dochters op zijn schouder.

Tegen de avond, na een tocht van dagen, bereikten we bijna de rivier Malwiya, op de grens tussen het Franse en het Spaanse protectoraat, in de buurt van Taourirt. Daar zagen we een klein huis in het veld. We klopten aan, alleen om wat water te vragen, maar we werden heel gastvrij ontvangen. De mensen gaven ons niet alleen water, maar ook eten en onderdak.

De volgende dag konden we vanuit Taourirt de trein nemen naar Oujda. De hond wilde mee instappen, maar dieren werden niet toegelaten. De hond was mijn vriend, hij hoorde bij ons, hij waakte over ons toen de hyena's ons bedreigden... maar ik heb hem bij de deur van de trein moeten achterlaten. We keken elkaar in de ogen, door het venster, en hij begon te blaffen. De trein zette zich in beweging en hij bleef ernaast lopen tot hij niet meer kon en moest opgeven. Ik was enorm bedroefd.

In Oudja aangekomen, staken we langs een onbeduidende grenspost de grens met Algerije over en bereikten het dorp Maghniya. Daar gingen vader en ik onze eigen weg en vervolgden de andere reizigers hun weg.

Onze eerste halte was het huis van mijn halfbroer Mehemed. Mehemed is een zoon van mijn vader uit een vroeger huwelijk. Hij is kapper en woont in het kleine dorp Kliha, niet ver van Blida. Bij Mehemed logeerden we een week om op krachten te komen en de zoektocht naar een geschikt huis voor te bereiden.

We startten onze zoektocht in Sidi-bel-Abbès, maar na twee maanden rondkijken bleek dat de huizen in die stad veel te duur waren. Vervolgens trokken we naar Aïn

Témouchent. Vader onderzocht grondig de te koop staande huizen en uiteindelijk vond hij een gepaste woning tegen een redelijke prijs. De aankoop ging door en vervolgens werden ook meubelen gekocht. Maar vader zag er moe uit en bleek erg ziek te zijn. Hij moest het bed houden. Uiteindelijk belandde hij in het ziekenhuis van Oran waar ik geduldig wachtte op zijn genezing. Na twee maanden mocht hij het hospitaal verlaten. Ik had ondertussen werk gevonden in een koffiehuis zodat het langere verblijf niet echt voor financiële problemen zorgde. Maar ik was wel ongerust over het uitstel om de familie in Marokko op te halen en naar Algerije te begeleiden, de tijd dat vader volledig herstelde. Gelukkig vond vader een oplossing. Hij schreef een brief naar Hemo ou Fras, een postman die hij goed kende omdat ze alle twee hun jeugd hadden doorgebracht in hetzelfde dorp. Hemo ou Fras kende alle wegen in het noorden van Marokko omdat hij de briefwisseling nog te voet afleverde. Vader vroeg in zijn brief of de postman zo goed wou zijn om onze familie tot over de grens te brengen. Daar konden zij met de trein tot Aïn Témouchent reizen. De postman stemde toe en zo geschiedde. Na bijna anderhalf jaar was onze familie weer herenigd.

Fadma Bent Moh ou Dadi N'Tahar

Wanhoop en moed, 1946

De postman Hemo ou Fras kwam bij ons aan. Hij kwam mijn moeder, mijn zus en mijn broers halen om naar Algerije te reizen. Vanaf de grens konden zij daar met de trein naar het huis in Aïn Témouchent rijden.

Voor mij woog het vooruitzicht van hun nakende vertrek erg zwaar. Ik vroeg me af hoe mijn leven en dat van mijn kinderen zou zijn met deze rampzalige droogte. Zonder mijn familie die altijd mijn steun en toeverlaat was geweest. Hoe nabij en bereikbaar ook, Algerije was toch erg ver weg. Bij het afscheid vloeiden er natuurlijk vele tranen.

Het huis en al zijn bezittingen liet vader ons na.

Voor het vertrek maakten mijn zus en ik nog een laatste wandeling rond het huis. Mijn zus vroeg voorzichtig hoe het met mij ging, want mijn moeder had enkele zinspelingen over mijn man, Charadi Mohamed, gemaakt. Zij merkte ook op dat ik er vermoeid uitzag en een droevige blik had.

Ik antwoordde haar: 'Ach zus, wat ik de voorbije jaren met mijn man heb meegemaakt is nauwelijks te geloven. Mijn leven is echt een leven vol ontgoocheling, angst en pijn: een hel. Charadi is opvliegend, zeker als hij gedronken heeft. Als hij een probleem heeft, reageert hij dat op mij af. Hij slaat me hard, meestal zonder aanleiding. Ik weet me geen raad meer. Ik heb die ellende zolang verzwegen. Alleen onze moeder weet ervan.'

Meer bespraken we op dat moment niet en zo namen we afscheid. Ons contact bleef vervolgens beperkt tot korte berichten die Hemo ou Fras ons bezorgde.

'We zijn goed aangekomen.'
'Het is bijna het einde van de zomer en de herfst staat voor de deur.'
'Het leven met mijn man is nog niets veranderd. Eigenlijk wordt het steeds moeilijker.'

Tot...

Op een nacht om drie uur, toen de kinderen en ik sliepen, mijn man thuiskwam. Charadi schudde me wakker en zei dat hij dorst had. Ik moest water voor hem gaan halen. Ik stond op en ging naar de waterput. Daar kreeg ik de schrik van mijn leven. Aan de waterput lag een slang. Bevend van angst wou ik naar binnenlopen. Maar het idee dat ik zonder water zou binnenkomen, boezemde me nog meer angst in. Met mijn ogen strak op de slang gericht, haalde ik het water uit de put naar boven en, wonder boven wonder, ik werd niet gebeten door de slang. En zo ging het verder. Enkele dagen later, op een doodgewone dag, kwam mijn echtgenoot met een grimmig gezicht thuis. Het eten was nog niet helemaal klaar en hij begon te vloeken. Ik werd bang en voelde me opgejaagd, maar ik moest mijn aandacht verdelen en ook voor onze hongerige kinderen zorgen. Toen sloeg het humeur van mijn man plots om in razernij. Tierend en scheldend begon hij mij te slaan. Ik vluchtte met de kinderen de kamer uit terwijl hij bleef razen tot hij in slaap viel.

Die ganse nacht lag ik met wijd open ogen in het donker te staren, ik dacht aan zijn gebrul en de slagen en vooral aan de vernederende scheldwoorden die uit zijn mond stroomden en die mij diep in het hart raakten. De gedachten maalden door mijn hoofd: 'Ik kan niet meer bij deze man blijven. Er is geen respect meer. Ik moet van hem weggaan; het enige dat ik nog kan doen, is vluchten naar mijn ouders.'

Het was een moeilijke beslissing. Hoe kon ik die lange en zware tocht naar Algerije ondernemen met mijn kinderen? Zou ik de kinderen niet aan te veel onvoorziene gevaren blootstellen? Zou ik sterk genoeg zijn om hen alle drie tegelijk te beschermen? Ik stond voor een immens dilemma. Aan de ene kant dacht ik: 'Blijf en wacht nog even.' Maar hoe lang moest ik nog wachten? Ik wachtte al zo lang en verder leven met iemand die alles kapotmaakte, kon ik niet meer.

Mijn kinderen zagen mij wenen en voelden dat er iets mis was met hun moeder. Toen nam ik een besluit. Ik zou toch naar mijn ouders gaan. Maar zonder mijn kinderen in gevaar te brengen. Ik besloot alleen de baby mee te nemen, en de twee oudere kinderen bij hun vader te laten.

Charadi was die dag naar Melilla, hij zou laat thuiskomen. Het was een hartverscheurende keuze. Ik stond te snikken en twijfelde nog even. En toen bracht ik Temouch en Chaïb naar een buurvrouw, de echtgenote van postman Hemo ou Fras. Daar konden ze blijven tot hun vader zou

thuiskomen. De kinderen voelden zich thuis bij de buurvrouw, daar was ik gerust in. Buurvrouw Bent Mehend ou
Fras had ongeveer de leeftijd van mijn moeder en ze was
al jaren onze buur, ze was bijna als familie voor ons. Wij
hielpen en steunden elkaar. Ik vertelde Bent Mehend ou
Fras dat ik dringend weg moest om iemand te bezoeken.
Ik nam de twee kinderen in mijn armen en gaf hen een
afscheidszoen. Ik keek hen in de ogen en woordeloos vroeg
ik om vergiffenis. Mijn hart brak, maar ik kon niets laten
merken.

Ik ging terug naar huis, nam mijn kleren mee, voedsel
voor onderweg, doeken en kleertjes voor de baby en het geld
dat ik gespaard had. Maar dit was zeker niet genoeg om tot
in Algerije te geraken. Ik bezocht nog eenmaal de kinder-
slaapkamers en trok al wenend de deur achter mij toe met
de gedachte: 'Ga en zie hoever je geraakt.'

Ik had nog nooit in mijn leven gereisd. Ik kende de wegen
van mijn land niet. Ik ben opgegroeid in een gehucht en op
het dorpje en mijn familie na kende ik niets van de wereld.
Ik wist langs welke grote steden ik moest reizen om de Algerijnse grens te bereiken, verder kon ik alleen maar rekenen
op toevallige voorbijgangers om de weg te vragen. Eén ding
wist ik wel zeker: ik zou meerdere keren twee grenzen moeten oversteken.

Zo vertrok ik, met mijn baby op de rug en vol angst dat
mijn man me zou achtervolgen. De meest voor de hand
liggende wegen kon ik daarom niet nemen, dus ik koos de
kleine steile wegen langs de bergen. Ik deed alles te voet,
maar gelukkig kreeg ik af en toe een lift met een kar.

Mijn eerste plan was naar Melilla te gaan om er werk en onderdak te zoeken maar toen ik daar aankwam, stond ik voor een gesloten grens. Niemand mocht nog door. Noodgedwongen moest ik op mijn stappen terugkeren en een andere weg kiezen, dieper de bergen in om langs een ander dal mijn doel te bereiken. Mijn eerstvolgende stopplaats was Nador en vervolgens trok ik verder naar Midar waar ik aan de ingang van een moskee sliep met mijn baby op mijn schoot. De volgende ochtend vertrok ik naar Kassita. Toen het middag werd, was het snikheet in de bergen. Er was geen mens te bespeuren, ik waande mij in niemandsland. Mijn water was bijna op en ik was verloren gelopen. Niemand kon me de weg wijzen. Helemaal in de war zette ik mij op een grote steen en zoogde de baby. Toen dacht ik: 'Dit is het einde voor ons, hier zullen wij samen sterven.'

Plots hoorde ik in de verte het tingelen van bellen. Ik besloot het geluid te volgen en ontmoette twee vrouwen met geiten en schapen.[1] Ik vroeg hen om water. De vrouwen bekeken mij en begrepen mijn toestand, zonder een woord van uitleg. Met de enkele slokken water die ze me gaven, kwam er opnieuw leven in mijn uitgedroogde lichaam, in mijn mond, in mijn benen. De vrouwen namen me mee naar huis en gaven me te eten en te drinken. Ze boden me zelfs onderdak. Ik kon mijzelf, de baby en de luiers wassen.

De man des huizes kwam ten slotte ook thuis. De familie verkocht allerlei keukengerei en voedingswaren zoals eieren, dadels en olie op de markten in de omgeving. 's Avonds zaten we met zijn allen rond de tafel, en vertelde ik deze

---

1   De mensen uit die streek noemen we 'Ihrochiyen'.

gastvrije mensen mijn verhaal. Van welke streek en familie ik afkomstig was, waarom ik was weggevlucht bij mijn man. Ik zei ook dat ik op weg was naar mijn familie in Algerije en dat ik vlakbij, in Gzenaya, familie en een tante had met de naam Achmelal. De vrouw, Yemna, besprak mijn verhaal met haar man. Ze besloten dat ze mij zouden helpen tot ik de grens kon oversteken en voor mijn baby en mezelf kon zorgen.

Vroeg in de ochtend laadden we de marktwaren op twee muilezels. Andere mensen voegden zich bij ons om samen de tocht naar de markt te maken. We legden een lange weg af door de bergen, vervolgens moesten we de Spaanse grens oversteken en een paar meter verder de Franse grens. We hadden vooraf afgesproken dat we – als iemand vragen zou stellen – eensgezind zouden zeggen dat ik bij de marktkramersfamilie hoorde. Ik droeg allerlei koopwaar in mijn handen en liep naast een muilezel. Yemna droeg mijn baby op haar rug. We geraakten zonder problemen over de beide grenzen en bereikten de marktplaats van Gzenaya. Het was een marktplaats met veel volk, waar je alles kon vinden wat je zocht. Veel volk, maar ook veel soldaten die controles uitvoerden. Ik was heel bang voor die controles. Yemna en ik zaten op de grond met de koopwaar rondom ons uitgestald, haar man ging op zoek naar iemand om mij te helpen.

Enige tijd later kwam hij terug met een man, een vijftiger, die de familie Achmelal kende. Zijn naam was Mehend Amzian en hij woonde in de buurt van mijn familie, in de kleine bergwijk Tinenmlal. Hij zou mij meenemen naar huis. 'Maar bereid je voor op een lange weg stappen!', waarschuwde hij.

Na de markt verscheen hij met zijn brommer. Ik moest hem te voet volgen, want de brommer was niet geschikt voor twee personen. Hij reeds telkens zo'n halve kilometer en wachtte dan tot ik hem ingehaald had. Ging de weg bergop, moest hij zelf afstappen en zijn brommer duwen. Na enkele uren was ik doodvermoeid en deden mijn voeten pijn. Ik begon honger en dorst te krijgen. De man legde een tros druiven op een grote steen en vertrok dan weer voor enkele honderden meters. Ik zette mij dankbaar op de steen om de druiven op te eten en wat te rusten. Het was bijna avond toen we eindelijk aankwamen.

De man reed onmiddellijk naar het huis van mijn tante om te melden dat er familiebezoek was. In de verte zag ik tante komen aanlopen. Ze viel op de grond, stond op en begon terug te lopen. Ze viel in mijn armen, omhelsde me en begon te wenen van geluk. We hadden elkaar al jaren niet meer ontmoet. 'Alleen had ik op een weerzien in betere omstandigheden gehoopt...', prevelde ze. Ik werd zó gastvrij ontvangen en kreeg in overvloed te eten. Mijn tante was zelf ook net moeder geworden en haar pasgeboren baby lag in de kamer op een zelfgemaakt wollen deken. Het voelde aan als thuiskomen. Twee moeders onder elkaar. Haar man, Ben Assou, was er niet want hij verbleef in Rabat bij het Marokkaanse verzet El Moçwama. Mijn tante was de jongste zus van mijn vader. We waren samen opgegroeid in dezelfde wijk en scheelden niet veel in leeftijd. Drie dagen bleef ik bij haar logeren tot ik uitgerust was en alle spullen van de baby had gewassen.

De nacht voor mijn vertrek zaten we aan tafel thee te drinken en we praatten over het verleden, de goede en de pijnlijke momenten. Mijn tante was erg bezorgd, zowel voor mij als mijn baby, omdat ik alleen nog een lange en moeilijke weg moest afleggen. Ze vroeg me of ik niet beter nog een tijdje zou blijven tot haar man thuis was. Dan zou ze hem vragen om me terug naar mijn gezin te brengen en met mijn man te spreken. Om hem te overreden mij met respect te behandelen en niet te mishandelen. Misschien zou hij wel veranderen…

Ik zei: 'Luister tante, als ik terugkeer naar hem zal ik opnieuw dezelfde problemen hebben. Dat weet ik, want ik heb jaren met hem geleefd. Alleen doet mijn hart pijn als ik denk aan mijn twee kinderen. Ik zie ze telkens weer voor mij en begin te huilen. Ze zijn altijd in mijn hart. Hoe kan ik teruggaan? Ik sterf nog liever onderweg!' Mijn tante keek me in de ogen en aanvaardde mijn beslissing.

Die avond pakte ze alles in voor de volgende dag: voedsel in een grote zachte doek, brood, fruit en koekjes. Ze gaf me ook geld mee. Tante zou voor mij bidden en Allah vragen mij te beschermen. Vroeg in de ochtend nam ik afscheid. Ze gaf haar honden mee als gidsen voor onderweg. De dieren, drie witte exemplaren, kenden de weg tot aan de rivier waar ik moest oversteken. Eén hond liep aan mijn rechterkant, één aan mijn linkerkant en één liep voor mij. Zo kwamen we aan bij de oversteekplaats. De honden keerden terug en ik vond de brug om mijn weg verder te zetten.

Later ontmoette ik een familie vriendelijke mensen op weg naar de markt in Legmis Agdir, een stad waar op marktdag de bus stopt voor de mensen die naar Fez moeten. Ze nodigden me uit samen te reizen, wat de lange tocht veel aangenamer maakte. In Legmis Agdir vond ik zonder problemen de bus naar Fez en reed mee tot de eindhalte, een heel eind buiten het centrum van de stad. Iedereen stapte uit en vervolgde zijn weg, behalve ik. Ik wist niet waarheen. Ik zoogde mijn kind en dacht na.

Het leek me het best de weg naar het station te nemen en daar te slapen met mijn baby op mijn knieën. Ik begon flink te stappen, maar het begon donker te worden en de nacht viel snel. Langs de weg zag ik twee tenten in het schemerdonker. Ik ging erheen en wilde vragen of ik bij die mensen de nacht mocht doorbrengen, maar plotsklaps stormden twee honden op me af. Uit schrik ging ik meteen op de grond zitten. De baby begon te huilen, de honden blaften woest. Een vrouw kwam uit de tent, bekeek me, riep de honden terug en vroeg me wat ik daar deed. Ze aanhoorde geduldig mijn verhaal en zei tot mijn grote opluchting: 'Je bent welkom bij ons.' Haar man en grote dochter kwamen kort daarna met de boodschappen en na de kennismaking bleek de familie erg tevreden met mijn bezoek. Ze kregen maar zelden bezoek. Zij waren zigeuners[2] en verhuisden vaak van stad naar stad. Ze namen alleen hun tenten mee samen met tapijten, dekens en keukengerei, geladen op een kar met autobanden en getrokken door een paard. De honden waren hun bewakers. Die avond aten we in de grote tent. Ik voelde voor het eerst

---

2   De Berbers noemen hen 'Lhemiyan'.

rust. Hun leven leek zo eenvoudig. De zigeuners hadden niet veel nodig. Ze kookten buiten op houtskool en maakten in openlucht hun eigen overdekte douche en toilet. Uit respect voor de bezoeker ging de man naar de kleine tent om te slapen. De vrouw Ghadija, haar dochter, mijn baby en ik sliepen samen naast elkaar in de grote tent. Ik voelde me die avond heel goed. De nacht was helder en stil. Je hoorde alleen de krekels.

Na een gezamenlijk ontbijt begeleidde Ghadija me naar het station, naar de plaats waar ik moest wachten op de trein voor Oujda. Bij ons afscheid bedankte ik deze lieve vrouw voor haar grote gastvrijheid.

Het duurde nog twee uur voor de trein aankwam en ik nam plaats op een bank naast een oud echtpaar. Zij reisden vol hoop naar Oran omdat er een spoor zou gevonden zijn van hun zoon die veertien jaar geleden verdwenen was. Ik stapte op de trein zonder ticket want geld had ik niet meer. Toen de controleur in onze wagon kwam en naar de tickets in het Frans en het Arabisch vroeg, deed ik teken dat ik geen treinticket had. Ik legde kort uit dat deze reis enorm belangrijk was om mij te verenigen met mijn familie. Hij keek naar mij en de baby en zei dat ik op mijn plaats moest blijven zitten. Tot mijn grote verrassing nam hij zijn pet af en vroeg hij alle passagiers om een bijdrage. Iedereen gaf iets. De controleur overhandigde mij het geld met de woorden: 'Maak je nu geen zorgen meer. Nu heb je genoeg geld om verder te reizen.' Je begrijpt waarom ik die vriendelijke man nooit meer zal vergeten.

Bij valavond bereikte ik Oujda. Toen de nacht viel, zette ik mij bij een kleine fontein om de baby te verzorgen en te voeden. Een zwart meisje dat water kwam halen, vroeg wat ik daar deed en of ik geen plaats had om te slapen. Ik antwoordde: 'Als jij me wil helpen, zal ik slapen waar jij slaapt.' Het meisje vroeg me te wachten tot ze terugkwam. Na een half uur nam ze me mee naar het huis van de dokter waar ze als poetshulp werkte. Ik mocht overnachten op voorwaarde dat het maar voor één nacht was. Het was een mooi huis en ik kreeg een plekje in de kelder met een klein matras. Het meisje bracht me een bord eten met brood en thee, een beetje geld en hield me nog even gezelschap om wat te praten over onze levens. Zelf had ze haar vader nooit gekend of gezien. Hij had haar moeder verlaten na haar geboorte.

De volgende dag stapte ik nog enkele kilometers om de grens met Algerije te bereiken. In de kleine grenspost Maghniya nam ik de bus tot Tlemcen waar ik overstapte op de bus voor Aïn Témouchent. Mijn familie woonde in Graba, een buitenwijk van Aïn Témouchent. Het einde van mijn reis was in zicht.

Toen ik het huis had gevonden, klopte ik aan. Het weerzien waar ik al die tijd naar uitgekeken had, was eindelijk daar. Mijn moeder opende de deur en moest heel goed kijken om mij te herkennen. Ik was vuil, haveloos en mager. Ik leek wel een bedelares. Ze nam me in haar armen en liet me niet meer los. Mijn vader was in de kamer, bezig met zijn middaggebed. Maar toen hij mijn stem hoorde, kwam hij onmiddellijk aangelopen, zo blij en gelukkig. Hij had zoveel getreurd omdat hij mij had moeten achterlaten.

Ik heb mijn ouders en mijn zus mijn lang en moeilijk verhaal gedaan. Moeilijk. Zowel voor hen als voor mij. Na het gesprek zorgde mijn zus, praktisch als altijd, voor de gewone, alledaagse dingen van het leven. Mijn baby kreeg een uitgebreid toilet en ik werd meegenomen naar de haman. 's Avonds zat ik in de warme kring van mijn familie rond de tafel voor de maaltijd, veilig en wel met mijn baby, bij mijn vader, moeder, broers en zuster. Het was me gelukt! Wat moest ik toen vechten tegen mijn tranen.

Nadat er meer dan een halfjaar verstreken was, ontvingen we een brief van mijn echtgenoot Charadi Mohamed. Hij vroeg mijn vader de toelating om mij te mogen spreken en te overtuigen terug naar huis te keren, naar hem en onze kinderen. Hij dreigde dat, indien ik dit niet vrijwillig deed, ik er wettelijk verplicht toe was. Mijn vader en mijn broer Hamadi trokken daarop naar de heer Hebri.

Hebri was een belangrijk man. Hij was de brievenschrijver van de wijk. De meeste mensen konden lezen noch schrijven. Als iemand een brief ontving, moest die worden voorgelezen en trok men naar Hebri. Als je een brief wou schrijven, moest je ook een beroep doen op de brievenschrijver. Hebri was onmisbaar. Hij was tevens een wonderlijk man. Wanneer hij brieven schreef, kwamen de kinderen naar hem kijken. Hij schreef immers met de pen in zijn mond, want hij had geen handen meer.

In zijn jonge jaren was Hebri een durfal. Als knaap had hij gewed dat hij de beste was in het beklimmen van telefoonpalen. Tijdens de weddenschap bereikte hij als eerste de top en in zijn overmoed greep hij zegevierend naar de elektrische draden die onder spanning stonden. Zijn handen waren zwart verbrand, zijn armen gevoelloos. Dankzij zijn sterk karakter leerde hij schrijven met de pen in de mond. Hij kende zeer goed zijn moedertaal en leerde ook vreemde talen. Zo kon hij vertalen en hiermee zijn brood verdienen.

Mijn vader Moh ou Dadi dicteerde aan Hebri het antwoord op de brief van mijn echtgenoot: 'Je wordt dringend verzocht het huis te verlaten. Het huis is niet jouw eigendom, ik heb het aan de kinderen geschonken. En als je durft naar hier te komen, zal je eerst met mij te maken hebben.' Zo klonk de brief die met de postman werd meegegeven.

Een lange tijd hoorden we niets meer van mijn echtgenoot, maar mijn familie vreesde dat we vroeg of laat bezoek van de politie zouden krijgen. We besloten dat het beter was dat ik, voor een korte tijd, bij een bevriende familie zou verblijven. En inderdaad, het duurde niet lang of de gendarmerie, vergezeld van een Algerijnse tolk, stond voor de deur en vroeg naar de heer Moh ou Dadi. Vader moest zijn papieren tonen en zeggen wie hij onderdak verleende. Hij zei, naar waarheid, dat er vier kinderen in het huis aanwezig waren. Toen ze naar mij vroegen en mijn volledige naam vermeldden, antwoordde vader dat ik bij mijn man was weggevlucht omdat hij mij mishandelde. En verder zei hij dat indien nodig hij een advocaat voor mij zou aanstellen. De tolk vertaalde alles voor de rijkswachters die dit netjes noteerden in hun dossier. Ze gingen weg en kwamen niet meer terug. Het verslag werd naar het Franse consulaat in Marokko gezonden.

Op een dag ontvingen wij een brief van familieleden uit ons dorp met de mededeling dat mijn echtgenoot ondertussen met een andere vrouw was getrouwd. Mijn familie besloot meteen naar een advocaat te gaan om klacht neer te leggen en een echtscheiding aan te vragen. Bij de advocaat moest ik het hele verhaal doen: de slagen, de beledigingen, de feiten. Meer bepaald dat ik mijn man nu meer dan drie jaar had verlaten en dat Charadi opnieuw getrouwd was. De advocaat zei dat de Franse wet polygamie verbood en ik zo recht had op een echtscheiding. Enkele maanden later was ik, dankzij het Franse gerecht, effectief weer vrij. Voor mij, eindelijk, het begin van een nieuw leven.

Ik ging terug bij mijn ouders wonen en hielp er in het huishouden. In de zomerperiode werkte ik met enkele andere vrouwen op een Franse boerderij, een groot bedrijf met vele hectaren grond. Mijn broer Chaïb werkte ondertussen bij een groot wijnbedrijf in Aïn Témouchent dat toebehoorde aan een zekere Marcelo. De druiven werden er gesorteerd, geperst, verder verwerkt tot wijn, en opgeslagen in grote kelders.

Op een dag vertelde Chaïb dat het bedrijf een man uit Sidi-bel-Abbès had aangeworven als extra werkkracht. Zijn naam was Mimoen Zahnoun. Chaïb had even met hem kennisgemaakt en het bleek dat Mimoen Zahnoun ook met zijn vader uit Marokko was vertrokken, noodgedwongen door de Grote Droogte.

Enkele dagen later nodigde Chaïb Mimoun Zahnoun uit om een avond bij onze familie door te brengen. Er werd veel gepraat en verteld. Ieder deed zijn verhaal over zijn tocht naar Algerije. 'En zo, mijn zoon, ontmoette ik voor het eerst je vader, Mimoen.'

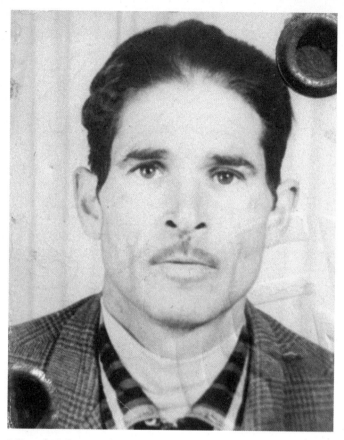

Mijn vader Mimoun Zahnoun.

Mimoun Zahnoun

De tocht naar Algerije, 1943

Net zoals jullie ben ik in de Rif geboren, in 1928. Maar wel in de hoge bergen, in Oulichek, in de bergwijk L'mhajar. Mijn moeder heb ik nauwelijks gekend. Ze stierf toen ik vijf jaar oud was. Een jaar later hertrouwde mijn vader, maar het leven met mijn stiefmoeder was niet echt gemakkelijk.

In 1943 begonnen mijn vader en ik aan dezelfde reis naar Algerije die jij Chaïb met jouw vader hebt afgelegd, op de vlucht voor de droogte in eigen land. Ook ik was een jonge kerel van vijftien jaar, mijn vader was in de zeventig. Vader had nieuws ontvangen van zijn buurman, een goede vriend die een tijdje vóór ons naar Algerije was vertrokken. De buurman was goed terechtgekomen in Sidi-bel-Abbès waar hij werkte op een wijngaard. Vader was in Marokko ten einde raad, er was geen andere oplossing dan te vertrekken en hij besloot het risico te nemen. Hij schreef zijn vriend dat wij ons geluk in Algerije wilden beproeven, op zoek naar werk, brood en een nieuw onderkomen.

Toen we vertrokken, met alleen wat voedsel en twee dekens om buiten te slapen, was het volop herfst. Mijn vader was niet meer zo sterk en gezond en de familie was tamelijk ongerust bij het afscheid. Zelf drukte hij de familieleden op het hart zich geen zorgen te maken en rustig af te wachten tot de dag dat hij alles in Algerije had geregeld om vervolgens iedereen op te kunnen halen en naar de nieuwe woonst te brengen.

Zo vertrokken we met ons twee, langs de hoge bergwegen. De wegen waren heel zwaar voor vader. Hij geraakte snel vermoeid, werd met het uur zwakker en begon ziek te worden. De zolen van onze schoenen waren door de rotsachtige wegen versleten en onze voeten zaten vol blaren. Toen de nacht viel, legden we ons onder een boom. We hoorden niets anders dan het gehuil van de wolven. Vader viel van uitputting onmiddellijk in slaap, maar ik kon de slaap niet vatten en hield de wacht tot het eerste daglicht aarzelend de zwarte hemel kleurde. Ik dommelde uiteindelijk toch in en sliep een gat in de dag. Na het ontwaken, omwikkelden we onze voeten met doeken om de pijn te verzachten en trokken we verder. Zo verliepen twee moeizame dagen, maar de derde dag werd het nog beroerder. We moesten om de haverklap stoppen, telkens mijn vader pompaf was. Af en toe moest hij hard hoesten, ik was bang dat hij doodziek zou worden. Maar na elke rustpauze nam vader zijn stok vast en ging onze tocht verder.

Op een gegeven moment reed een man met een kleine kar voorbij, het karretje werd getrokken door een ezel. De man merkte op hoe vermoeid mijn vader was en gaf ons een lift. Ik zat achterin, vader naast de man. De man, Omar genaamd, vroeg waar we vandaan kwamen. Toen hij hoorde dat we in Beni Oulichek woonden en op weg waren naar Sidi-bel-Abbès, riep hij verrast uit: 'Jullie hebben nogal gestapt! Maar vanaf Taourirt, niet zo ver van hier, kunnen jullie tenminste met de trein naar Algerije reizen.' Omar had medelijden met vader en nodigde ons uit in zijn huis om te overnachten en goed uit te rusten voor onze verdere tocht.

Omar was in de zestig, gehuwd en vader van drie kinderen. De familie woonde in een klein huis met een grote olijfgaard. Ze leefden van de olijven, persten zelf de olie en verkochten de olijfolie op de markt. We werden er hartelijk ontvangen. Ze gaven ons te eten en te drinken en toen we gingen slapen, serveerden ze thee met kruiden tegen de pijn en de vermoeidheid. Het waren zulke vriendelijke mensen. Zo'n mensen ontmoet je overal in de bergen en op het platteland: gastvrij en hulpvaardig.

Toen we 's morgens ontbeten en vader door de goede zorgen wat aangesterkt was, bracht Omar ons met de kar tot Taourirt, enkele kilometers verder. Daar aangekomen gingen we meteen naar een winkel, veeleer een soort barak, waar vader twee paar sandalen kocht. Wat was ik blij degelijk schoeisel te kunnen dragen! En wat was ik blij toen ik de trein zag! Blij dat we eindelijk van die harde wegen verlost waren. Omar gaf ons als afscheid nog een zak vol heerlijke olijven mee. Zulke mensen, die man en zijn familie, zullen mij altijd vol dankbaarheid bijblijven.

Toen we eindelijk aankwamen bij onze kennissen in Sidi-bel-Abbès besloot vader, die zich nog steeds niet goed voelde, zonder dralen terug te keren naar Marokko om zijn vrouw en de andere kinderen te halen. Mij liet hij in goede handen bij zijn vriend achter. Vader kwam erbarmelijk bij de familie aan en overleed een paar dagen later. Ik vernam vaders overlijden pas enige tijd later via een brief van mijn familie.

Het nieuws kwam heel hard en koud aan. Op vijftienjarige leeftijd had ik geen moeder én geen vader meer. Ik had niemand meer op wie ik kon rekenen of op wie ik een beroep kon doen. Ondanks mijn verdriet, nam ik het besluit verder te leven naar eigen inzicht en helemaal op eigen kracht. Ik vertrok bij het gezin waar ik te gast was en sliep de eerste nachten in een parkje in het centrum van Sidi-bel-Abbès. Overdag verdiende ik geld met water te verkopen aan al wie water wilde. Zo verzamelde ik net genoeg geld om een stuk brood te kunnen kopen. Ik liep de hele dag in de straten van de stad en de nabije omgeving en keek ondertussen uit naar werk. Na enkele dagen belandde ik in het kleine dorp Tièrt en zag ik een groot landbouwbedrijf dat eigendom was van een zekere madame Garcia. Toen madame Garcia vernam dat ik een weeskind was, wierf ze mij meteen als werkkracht aan en verleende ze me onderdak.

Mijn familie in Beni Oulichek werd bezorgd omdat ze zo lang niets meer van mij hadden gehoord. Anderhalf jaar nadat ik in Tièrt was aangekomen, werd daarom mijn oudste broer Mohamed naar Sidi-bel-Abbès gestuurd om me te zoeken. Hij koos voor dezelfde weg die mijn vader en ik hadden genomen. Via kennissen van mijn vader, waar ik te gast was geweest, heeft hij mij kunnen opsporen. Uiteraard was ik enorm blij toen ik mijn broer terugzag. We vielen elkaar in de armen met tranen in de ogen en genoten een paar dagen intens van elkaars gezelschap.

Madame Garcia en haar man Marcelo waren rijke boeren met verschillende bedrijven. Niet alleen in Sidi-bel-Abbès, maar ook in Aïn Témouchent. Er was werk en plaats genoeg om te slapen. Mijn broer Mohamed zag zijn kans schoon en vroeg madame Garcia of zijn halfzus Menana met haar man Jebilou mocht overkomen om op een van de

boerderijen te werken. Een half jaar later vestigde het echtpaar zich in Tièrt en hielp Jebilou mee bij de olijfpluk. Mijn
oudste broer Mohamed keerde terug naar de Rif en vertrok
later naar Cors in Frankrijk om daar als landbouwknecht
te werken.

Mijn verhaal was een verhaal van verdriet, eenzaamheid en
pijn. Maar voor de eerste keer voelde ik dat ik mijn verhaal
kon vertellen. De familie van Chaïb toonde veel begrip en
was bereid om te luisteren. Voor het eerst kon ik spreken
over mijn volslagen ontreddering toen ik via een simpele
brief vernam dat mijn vader was overleden.

Ik werd al snel bevriend met de familie en leerde ook
Fadma beter kennen. Tijdens mijn eerste avond als gast
vernam ik welke miserie Fadma had doorstaan en ik
kreeg enorme waardering voor haar. En ook al is het geen
gewoonte een gescheiden vrouw te huwen... met haar zag ik
een toekomst.

Na enkele weken sprak ik Moh ou Dadi daarover aan. Ik
wilde graag met Fadma leven en met haar trouwen. Haar
ouders leken hierover heel tevreden en omdat we een heel
sobere ceremonie wilden, kon de trouwdag vlug vastgelegd
worden. Voor wij de trouwakte tekenden, moest ik Fadma's
vader wel bevestigen dat ik even goed voor haar kind Mohamed zou zorgen als voor mijn eigen kinderen. Vanaf die dag
behoorde ik tot de familie bij wie ik mij zo thuis voelde.

De huwelijksdag verliep zeer eenvoudig: alleen de familie,
enkele buren, vrienden en de imam die ons trouwde waren
aanwezig. Er was geen muziek, er werd veel uit de Koran
gelezen, er werd gegeten en gedronken en er werd ons veel

geluk toegewenst. Voorlopig bleven we bij Fadma's ouders wonen in Aïn Témouchent. Mijn schoonvader heb ik echter niet lang gekend want amper een jaar later overleed hij op hoge leeftijd.

Ondertussen was ik werkloos geworden en het huis was iets te klein voor ons allemaal. Ik besloot daarom te verhuizen naar Sidi-bel-Abbès om bij mijn halfzus Menana en haar man in te trekken, in een groot huis, ook eigendom van madame Garcia die mij als wees zo goed had opgevangen. De reis naar Sidi-bel-Abbès en het dorp Tièrt verliep zonder problemen en na enkele uren klopten we aan bij mijn halfzus Menana. We werden vreugdevol onthaald. Menana viel me om de hals en bleef maar juichen: 'Mijn broer is gekomen!' Het was jaren geleden dat we elkaar hadden gezien. Ze begon meteen eten klaar te maken en na de maaltijd liet ik Fadma de omgeving zien. Het was middag en heerlijk weer, we konden de berglucht ruiken. Het kleine dorp Tièrt heeft grote tuinen met fruitbomen, bloemen en groenten.

De volgende dag vertrok ik met mijn zwager Jebilou naar madame Garcia met de vraag of ik opnieuw bij haar kon werken. Madame Garcia en haar echtgenoot Marcelo waren blij en verrast mij terug te zien en namen mij weer in dienst.

Zo kon ik met Fadma eindelijk een eigen leven opbouwen.

Fadma Bent Moh ou Dadi N'Tahar

Een nieuw begin, 1953-1962

Langzamerhand leerde ik Mimoun beter kennen. Hij bleek een gevoelige man te zijn, heel gelovig en plichtsbewust. Zijn werk, zijn geloof en natuurlijk zijn gezin waren de weinige zaken die voor Mimoum van tel waren. Mimoum is nooit naar school geweest. Enkele lessen in de Koranschool, toen hij vijf was, waren de enige vorm van onderwijs die hij had genoten. Maar Mimoum was van nature wijs. Hij stelde niet veel vragen en antwoordde alleen als je hem iets vroeg. Bij hem vond ik mijn rustgevoel terug. Het lot en de tijd zouden beslissen hoelang wij samen zouden blijven.

In 1954 beviel ik van een jongen, Saïd. Enkele maanden later was ik opnieuw zwanger en beviel ik van een dochtertje, Fatima. Haar leven was maar kort. Na vier maanden overleed ze aan een ziekte.

Twee jaar later, in 1956, werd Marokko een onafhankelijke, soevereine staat.

De Verenigde Onafhankelijkheidspartij, Istiqlal, die in 1943 was opgericht door de nationalisten, eiste al jaren de volledige onafhankelijkheid van Marokko op onder een constitutionele regeringsvorm met als koning Mohamed V. Mohamed V was erg geliefd bij de bevolking omdat hij onbetwistbaar achter het nationalisme stond. Mohamed V wilde zijn land weer verenigen. De twee landsgedeelten leefden sinds 1912 apart in twee verschillende regimes, met twee verschillende talen, met verschillende administraties, verschillende politieke culturen en religies. Juridisch verschillend en ook economisch verschillend. Het Franse protectoraat stoelde op de Franse economie: succesvol en modern; het Spaanse protectoraat was zoals Spanje: minder welvarend en veel conservatiever.

'Voor de gewone mensen was de politiek onbeduidend, maar in Algerije hoorden we regelmatig radiotoespraken waarin Mohamed opkwam tegen de kolonisatie,' aldus mijn moeder.

Dit was uiteraard niet naar de zin van Frankrijk en onder Franse druk gingen koning Mohamed V en zijn gezin in augustus 1953 in ballingschap naar Madagascar. Frankrijk kroonde vervolgens zijn marionet Mohamed Ben Aarafa als nieuwe monarch. Een koning waar de Marokkanen niets voor voelden. Geen wonder dat er een periode van fel gewapend verzet uitbrak. Ben Aarafa kon de situatie niet langer in de hand houden en vluchtte naar Tanger, Mohamed V keerde op 5 november 1955 terug als koning van Marokko.

Hij werd uitzinnig onthaald als 'de bevrijder'. Dankzij zijn politiek inzicht en aangeboren charisma verwezenlijkte hij de overgang naar het herenigde Marokko. Hij koos ervoor om goede betrekkingen met Frankrijk en Spanje te onderhouden en een groot aantal ambtenaren van de voormalige protectoraten voor een korte tijd te behouden om zo de overgang makkelijker te maken.

Op 2 maart 1956 werd Marokko onafhankelijk van Frankrijk en ook de Spanjaarden erkenden vrijwel gelijktijdig met Frankrijk Marokko's onafhankelijkheid.[1] De Franse en Spaanse legers trokken zich daarop terug en de Franse en Spaanse grenzen doorheen ons land bestonden van de ene op de andere dag gewoon niet meer. Afgeschaft.

'Een jaar later, in 1957, werd jij geboren. Het was een moeilijke bevalling. Je vader wachtte buiten aan de deur. Hij was erg bezorgd, maar gelukkig liep alles goed af. De vroedvrouw wenste hem proficiat met een zoon en we noemden jou Abdelkader.'

Een half jaar na jouw geboorte kwam mijn broer Chaïb op bezoek. Hij meldde dat de stad Aïn Témouchent arbeiders voor bouwwerken en wegenaanleg wou aanwerven. De aanwerving zou gebeuren met vaste contracten. Een week later reden we met de bus naar mijn familie om er enkele dagen te logeren. Zo konden we snel zien of mijn man zo'n contract kon bemachtigen. Na het weekend werden zowel mijn broers als mijn man aangeworven. De werken zouden binnen korte tijd starten en ik kon opnieuw dicht bij mijn familie wonen. Madame Garcia was op de hoogte dat we mogelijk niet zouden terugkeren. We bewaren nog altijd een heel goede herinnering aan haar.

Het was zwaar werk, de wegenaanleg, maar het verdiende goed. Na enkele maanden hadden we wat geld gespaard en kochten een stuk grond van 50 m², op de hoek van de straat, niet ver van mijn familie. Familie en vrienden staken een handje toe en zo bouwden we een klein

---

1   Spanje behield wel zijn noordelijke enclaves Ceuta en Melilla, de zuidelijk enclave Ifni en de Westelijke Sahara.

huis met twee slaapkamers, een wc en een overdekt terras. Op het terras werd gekookt en gewassen. Leidingwater hadden we niet. We moesten, zoals iedereen, water halen aan de kraan in het dorp. Eén keer per week gingen we naar het stadsbad, de hamam, met aparte baden voor de mannen en de vrouwen.

We leefden niet luxueus, maar eenvoudig, tevreden en gezond. Tot twee jaar later mijn man een zwaar ongeval kreeg. Hij werkte met een compressor. De zware machine zakte plotseling weg in een diep gat en mijn man werd meegesleurd. Ze brachten hem naar het plaatselijk ziekenhuis, maar de verwonding was te groot en te gevaarlijk. Hij werd meteen overgebracht naar het ziekenhuis van Oran voor een operatie aan de borstkas. De snede was wel 30 cm groot. Pas na twee maanden mocht mijn echtgenoot het ziekenhuis verlaten, maar de dokters verboden hem nog zwaar werk te verrichten. Hij moest op zoek gaan naar een andere kostwinning en begon, na enige tijd, een goed inkomen te verdienen met import en export op zijn fiets. Hij bracht kleding en stoffen van Aïn Témouchent naar Oujda in Marokko en van daaruit nam hij kleding en stoffen mee naar Algerije. Telkens legde hij zo'n 140 kilometer af in drie dagen, met slechts een overnachting. Tijdens zijn tochten viel het hem op dat sommige zaken goedkoper waren in Marokko dan in Algerije en omgekeerd. Van deze verschillen in de prijs-kwaliteitverhouding maakte hij goed gebruik. Hij bouwde een trouw cliënteel op en wij kwamen niets te kort.

Mijn broer Hamadi kreeg eveneens een zwaar arbeidsongeval. Hij werkte in een steengroeve en kreeg een zwaar rotsblok op zijn been. Het been werd geamputeerd en hij moest verder leven als mindervalide.

Enkele maanden later was ik weer in verwachting. Het werd een zoon en we noemden hem Bel Kasem. Hij leefde maar enkele maanden. Ook de zoon Rashid die het jaar daarop werd geboren, stierf kort daarna. Op dezelfde leeftijd. En ook onze volgende zoon Achor overleed kort na de geboorte. Dit konden wij nog amper dragen. Het leken wel jaren van ongeluk, angst en verdriet. Onafgebroken. Drie zonen verloren, alle drie enkele maanden oud. Mijn familie sprak over het kwade oog en we kregen de raad een *talba*[2] te houden. We moesten met vier personen in huis de Koran lezen en samen bidden voor onze drie gestorven zonen. Men stelde ook voor een *sadaqa*[3] te houden. Elke vrijdag zetten we twee grote borden met couscous op de stoep voor arme voorbijgangers.

De kinderen hebben we begraven op dezelfde begraafplaats als mijn vader Moh ou Dadi, in de wijk Graba in Aïn Témouchent.

Zowel in 1961 als in 1962 kreeg ik opnieuw een zoon: Abdelha en vervolgens de jongste, Hajri.

Toen Abdelha anderhalf jaar oud was, kreeg hij een zware longonsteking en werd hij overgebracht naar het ziekenhuis. De uitslag van de radiografie was niet zo best. De dokter gaf ons medicijnen mee die Abdelha een maand moest nemen. De volgende controle wees uit dat de medicij-

---

2 *Talba*: een ritueel waarbij verschillende Korangeleerden worden uitgenodigd om samen met een imam de Koran te reciteren als voorlezers.

3 *Sadaqa*: de sociale verplichting om aalmoezen te geven.

nen weinig tot niets hadden geholpen. Ik besloot tot slot om hem te verzorgen met de kruidenkennis die mijn moeder me had aangeleerd. Na anderhalve maand was de diagnose positief. Zijn longen bleken weer zuiver te zijn. Na zoveel ongeluk kwam een mirakel.

Antwerpen

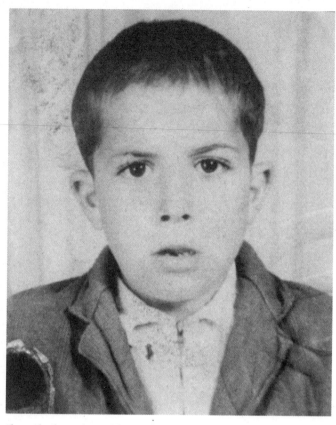

Ik werd geboren in 1957. Mijn kinderjaren bracht ik door in Algerije.

Abdelkader Zahnoun

Aïn Témouchent, mijn kinderjaren, 1961-1969

Ik werd geboren in 1957, maar mijn allereerste herinneringen gaan terug tot ik vier, vijf jaar oud was, in de jaren 1961-1962.

In die periode, de aanloop naar de onafhankelijkheid van Algerije, waren er groeiende spanningen en bloedige incidenten tussen het Franse leger en het Algerijnse verzet. Het waren jaren van angst, maar ook van hoop. Hoop op de onafhankelijkheid van dit land waar we nu verbleven. Er vielen vele doden, meestal burgers. Na zonsondergang gold een uitgangsverbod.

Op een nacht werd een Franse luchtvaartcommandant vermoord in ons dorp toen hij in zijn auto stapte. De volgende ochtend omsingelden militairen het dorp. Alle mannen werden meegenomen, ook mijn vader en mijn nonkels. Ze werden op een rij gezet langs de weg. Alle vrouwen en wij, de kinderen, huilden van angst. We werden in bedwang gehouden door soldaten. Andere soldaten stonden klaar, wachtend op het bevel om de mannen neer te schieten. Gelukkig werden de daders op tijd gevonden en nadien werd plotseling iedereen vrijgelaten. Die uren van knagende onzekerheid staan onuitwisbaar in het geheugen van de hele familie gegrift.

En zo'n voorvallen gebeurden meer. Op een dag nodigde tante Fatima ons uit voor het avondmaal. Ze woonde zo'n vijf kilometer verder. Omstreeks middernacht keerden we met het hele gezin te voet terug naar huis. Meestal was dat een fijne wandeling, maar deze keer werden we tegengehouden door Franse soldaten. Ze waren gewapend en mijn vader moest zijn handen boven het hoofd houden. Het hele gezin werd meegenomen naar een pleintje in het centrum waar nog andere mensen naartoe werden geleid. De vrouwen met baby's en kleine kinderen werden gedwongen te gaan zitten. De mannen moesten knielen met hun handen achter het hoofd. Spreken was verboden. We waren zó bang. Niemand wist wat er aan de hand was, of wat er ons te wachten stond. Enkele uren later waren wij op de schoot van onze moeders in slaap gevallen. Maar de moeders zaten met de ogen wijd open te wachten. Bij zonsopgang werd iedereen zonder enige vorm van uitleg plotseling vrijgelaten. Ook dat vergeet je nooit meer.

In 1962 riep generaal de Gaulle de onafhankelijkheid van Algerije uit. We hoorden het bericht op de radio en in het hele land weerklonk vreugde. In alle dorpen en steden kwamen de mensen op straat om de grootste dag van hun geschiedenis te vieren. Er werd gezongen, gejuicht en gedanst. Een halfjaar later kwam Ahmed Ben Bella, de eerste president van het onafhankelijke Algerije, langs in ons dorp in een witte wagen met een Algerijnse vlag. Hij bezocht het ganse land. Overal waar hij langskwam, stonden mensen hem op te wachten om te applaudiseren.

Maar bij de Fransen en de Spanjaarden die in Algerije woonden (grote boeren, winkeliers, bedrijfsleiders, horeca-uitbaters) groeide de angst. Enkele boeren werden zelfs

vermoord. De meeste Algerijnen vonden die zinloze moord-
partijen onterecht, maar de Franse en Spaanse inwijkelin-
gen besloten toch te vertrekken. Hun huizen en bezittingen
lieten zij onbewaakt achter. Ze werden in de kortst mogelijke tijd leeggeroofd.

Mijn nonkel Mohamed werkte reeds geruime tijd in een
dergelijke villa, bewoond door een Franse familie. Ook die
familie vreesde mogelijke aanslagen en besloot het land te
verlaten. Ze vroegen Mohamed het huis te blijven bewonen
en gaven hem hiertoe een schriftelijke opdracht. De woning
was zeer ruim met zeven slaapkamers, een groot balkon
en een zwembad. De villa was eigenlijk veel te groot voor
Mohameds gezin alleen en hij nodigde ons uit om er ook te
wonen. Zo leefden we een hele poos zorgeloos in een prachtige villa. Als een rijke familie.

Tussen Algerije en Marokko ontstonden er na de Algerijnse onafhankelijkheid ook conflicten, met name conflicten over de grensgebieden. De grenzen in het zuiden en het
oosten van Marokko waren nooit officieel en nauwkeurig
vastgelegd. Deze grenzen tussen Marokko en Algerije en
tussen Marokko en de Westelijke Sahara lagen op grote
woestijngebieden met talrijke waardevolle, vruchtbare
oasen. Het conflict werd almaar scherper en mondde uiteindelijk uit in de Zandoorlog, een oorlog die jaren aan-
sleepte.

Dit conflict had ook een weerslag op het leven van de
vele Marokkaanse families die zich in het noorden van
Algerije hadden gevestigd tijdens de Grote Droogte die
Marokko vijf jaar lang had geteisterd. Die families hadden

hun toevlucht gezocht in Algerije en waren er met open armen ontvangen, maar nu werd de toestand veel vijandiger. De Marokkanen voelden zich helemaal niet meer welkom.

Op een avond hoorde ik mijn vader de toestand met mijn moeder bespreken. Er was in Algerije geen zekerheid meer voor ons gezin door het groeiende wantrouwen bij de mensen en de conflicten tussen de beide landen. 'Misschien zou er wel oorlog van komen', vreesde vader. Amper enkele maanden later kwamen Algerijnse soldaten in de villa om te onderzoeken wie er verbleef. Ze controleerden alle Franse eigendommen. Wie in zo'n Frans huis woonde, kreeg 24 uur de tijd om het eigendom te verlaten. De schriftelijke opdracht van de eigenaar die nonkel Mohamed kon voorleggen, werd beschouwd als van nul en gener waarde. Zo keerden we terug naar ons huisje in de wijk Graba. Maar niet voor lang. De situatie leek mijn vader zo onveilig dat hij besloot een huis te zoeken in Oujda, in Marokko, vlakbij de grens. Na zes maanden zoeken, vond hij eindelijk een pand en konden we verhuizen. Terug naar ons land van herkomst. Op de laatste ochtend hebben we allemaal samen ontbeten, alles ingepakt – niet veel, alleen onze kleren en wat eten voor onderweg – en zijn we met de trein naar Marokko vertrokken. Het huis in Graba werd achtergelaten voor de familie voor verkoop.

Het nieuwe huis in Marokko was behoorlijk groot en tamelijk duur en mijn ouders hadden eigenlijk niet genoeg geld om het in te richten. Mijn vader was ook nog steeds werkloos. Alleen mijn oudste broer Mohamed had een job gevonden als keukenhulp in een patisserie. Ikzelf en mijn broer Saïd waren nog schoolplichtig. Abdellah en Hajri waren nog te klein en mijn moeder was opnieuw in verwachting.

Werk vinden in Oudja bleek onmogelijk. Maar vele werklozen in Marokko, ook mijn vader, hoorden van de aanwervingsmogelijkheden die Europa bood.

De aanwerving, 1962-1966

Na de Tweede Wereldoorlog lag Europa in puin. Wat er vooral nodig was, was energie. Energie voor de wederopbouw. Niet alleen menselijke energie, maar ook grondstoffen voor productie, voor het aandrijven van de machines, voor verwarming... België had mijnen in de Borinage (rond Charleroi en La Louvière), mijnen in Luik, mijnen in Limburg. Net als een hoog aantal gastarbeiders die al voor de oorlog deze mijnen ontgonnen: de Vlamingen. Het was zwaar, ongezond werk. In vuile putten. Maar in Vlaanderen was er toen weinig tot niets om een gezin van te kunnen onderhouden. De Vlamingen waren niet erg geliefd, maar ze waren wel taai. Ze kwamen in Wallonië werken en ze bleven er. Hun kinderen werden tijdens de volgende generaties Walen en werkten zich op: Reynders, Onckelinx, Cools, Van Cauwenberghe, Daerden... zijn allemaal Vlaamse namen, allemaal nakomelingen van Vlaamse gastarbeiders.

De Belgische overheid en de bedrijven rekenden na de Tweede Wereldoorlog opnieuw op deze Vlaamse werk-

71

krachten, maar de Vlamingen daagden niet meer op. Ze voelden niets meer voor het vuile werk in de steenkoolmijnen. Begrijpelijk, er was ondertussen meer dan voldoende werk in andere bedrijven in Vlaanderen. Fédéchar, de werkgeversorganisatie van de Belgische steenkoolmijnen,[1] deed het onmogelijke om het tij te keren: hoge lonen, pensioen op vijftig, de beeltenis van een helfdhaftige mijnwerker op de munten van een halve frank, voetbalploegen zoals FC Beringen, Patro Eisden, FC Winterslag, Thor Waterschei, KFC Zwartberg, Standard de Liège, FC Charleroi, La Louvière – liefst acht mijnploegen in Eerste Klasse toen ik jong was – maar het was tevergeefs. De Vlamingen bleven aan hun zijde van de taalgrens.

Fédéchar ging ten einde raad bij de Belgische staat aankloppen voor een oplossing. Ze wilden zo snel mogelijk elders arbeidskrachten aantrekken om de kostbare steenkool naar boven te halen. En de federatie haalde haar slag thuis. Italië lag ook in puin. En Italië had geen steenkool, maar wel massa's werklozen. De Belgische staat trok naar Rome en sloot een verdrag met Italië om de aanwervingen in goede banen te leiden: 2000 arbeiders per maand in ruil voor grondstof. Vanuit België vertrokken treinen volgeladen met steenkool naar Italië om volgeladen met arbeiders terug te keren.

Op een van deze treinen zat Nicola Di Rupo met zijn vrouw en zes kinderen. Zijn zevende kind, een zoon, werd in België geboren. Nicola di Rupo stierf in een auto-ongeval toen

---

1 De Fédération Charbonnière de Belgique.

zijn jongste zoon nauwelijks één jaar oud was en zag niet meer dat zijn zoon, Elio, in juli 2010 premier van België werd.

Het werk in de mijnen was zwaar, vuil, ongezond en vooral... gevaarlijk. Ondanks de wettelijk opgelegde veiligheidsvoorschriften vielen er regelmatig doden. Italië nam dit, na een zwaar ongeval in Marcinelle in 1953, niet in dank af en dreigde ermee het contract te verbreken. Fédéchar besloot andere landen aan te spreken. Griekenland, Spanje, Portugal en later ook Turkije en de Maghreb.

Enkele jaren later, in 1956, werd Marokko een onafhankelijke staat met aan het hoofd koning Mohamed V. Gedreven door enorme armoede en werkloosheid – en Italië als voorbeeld – nam de Marokkaanse staat het voortouw. Marokko contacteerde de Belgische regering voor de eventuele aanwerving van Marokkaanse arbeiders in de Belgische steenkoolmijnen. Op dat moment, midden jaren 50, was er in België weliswaar geen nood aan zo'n overeenkomst. Maar in 1962 kwam het idee opnieuw ter sprake. De druk op de ketel was groot, de economische kringen waren unaniem: België moest overgaan tot massale aanwerving van vreemde werkkrachten. Niet alleen in de steenkoolmijnen, maar ook in andere sectoren. Overal in de bedrijven bleek het tekort aan geschoolde arbeiders een zorgwekkend probleem te worden.

In Wallonië, vooral in het gebied van de steenkoolbekkens, stelde zich bovendien nog een bijkomend probleem: een merkbare bevolkingsveroudering door de daling van het Waalse geboortepeil. De dorpen liepen stilaan leeg. Immigratie van buitenlandse werkkrachten, samen met hun gezin, zou op langere termijn zorgen voor de nodige voorraad aan jonge werkkrachten.

West-Duitsland en Frankrijk kenden hetzelfde probleem en reageerden erg alert. In 1963 tekenden zij al een aanwervingsverdrag met Marokko. De Belgische staat hinkte achterop en bleef treuzelen. Fédéchar nam daarom zelf het heft in handen en begon met het aanwerven van een groot aantal Marokkaanse werkkrachten via een klein bureau in Casablanca, een bureau dat rechtstreeks werkte onder de supervisie van de consul-generaal.

De Belgische staat startte inmiddels zijn eerste besprekingen met Turkije en boekte snel goede resultaten. België sloot op korte termijn een verdrag af voor de invoering van Turkse werkkrachten. Het onderzoek naar werkkrachten uit de Maghreb duurde iets langer. De keuze voor Marokko werd bepaald door drie redenen. Ten eerste, in Marokko was er een overschot aan arbeidskracht. Ten tweede, door de religieuze opvoeding waren de Marokkanen ongetwijfeld gehoorzame arbeiders. En ten derde bleek de beroepsbekwaamheid van de arbeiders hoog.

Op 17 februari 1964 werd uiteindelijk het verdrag met Marokko ondertekend door de twee ministers van Arbeid: Léon Servais voor België en Thami Ouezzani voor Marokko. De ondertekening van het verdrag bevestigde in grote lijnen wat in de praktijk al een tijdje bestond. Elke immigrant, aangeworven via officiële of spontane weg, kreeg gelijke rechten. Gelijkheid wat betreft sociale voordelen en arbeidsvoorwaarden met de Belgische arbeiders. De migrant mocht ook zijn spaargeld naar Marokko sturen. En de mogelijkheid tot familiehereniging werd gecreëerd. Door deze groot-schalige aanwerving werd de Marokkaanse gemeenschap de tweede bevolkingsgroep van vreemde herkomst in België, na de Italianen.

'Deze belangrijke historische gebeurtenissen wil ik toelichten om onze familiale toestand in 1965 te beschrijven.'

Na maanden uitzichtloos werkloos te zijn – de Rif was arm en schraal – besloot mijn vader gehoor te geven aan de verhalen over het 'noorden' en op zoek te gaan naar de arbeidsmogelijkheden daar. Iedereen drukte hem op het hart dat hij als metser meteen werk zou vinden en dat hij zich geen zorgen hoefde te maken over de paperassen. 'Eerst werk en dan volgden de papieren ter plaatse wel vanzelf,' werd er beweerd.

Hij besloot eerst alleen te reizen en vertrok tijdens de zomer van 1965 naar België, naar Antwerpen, naar zijn vriend Kasem die een jaar eerder was vertrokken. Hij betaalde een paar maanden huur vooraf, liet een som geld achter voor zijn gezin en gebruikte de rest voor zijn reis. Met de trein duurde de reis ongeveer een week. Het was de bedoeling dat hij zo snel mogelijk werk zou vinden en dan zijn gezin zou laten overkomen, zoals bepaald in het verdrag.

Mijn moeder moest nu helemaal alleen voor de kinderen zorgen, hoewel ze drie maand zwanger was. Na veertien dagen ontving ze een brief van mijn vader. Vader was goed aangekomen en vroeg nog wat geduld uit te oefenen tot zijn papieren in orde waren. Pas dan kon hij zich offi-

cieel aanmelden voor werk. Het was zomer en wij hadden schoolvakantie. De kinderen van oom Hamadi hadden ondertussen ontdekt waar we verbleven en brachten
ons een welkom bezoek. Na al die jaren waren we blij
elkaar terug te zien. De zomer verstreek zo heel aange-
naam, maar ondertussen had vader nog steeds geen werk
en werd onze financiële situatie nijpend: twee maanden
huurachterstand en een huiseigenaar die meermaals de
huishuur kwam opeisen. Mijn moeder kreeg een ultimatum van veertien dagen, na die datum zou de eigenaar
ons het huis uitzetten. Ook voor het huishouden en de
nodige schoolboeken bleef er amper geld over. Mijn moeder besloot naar het Bureau voor Sociale Woningen te
gaan om een woonst voor haar gezin van vijf kinderen (en
een zesde op komst) te verkrijgen. Ze smeekte om hulp en
kreeg de geruststellende woorden te horen: 'Ik begrijp uw
toestand en ik zal mijn uiterste best doen om een woning
voor uw gezin te vinden. Ga nu naar huis, naar uw kinderen en kom volgende week tussen tien en twaalf uur
terug. Ik zal zien wat ik kan doen.' Een week later had
de ambtenaar inderdaad een geschikte woning gevonden.
Een oude sociale woning, twee kamers, een keukentje en
een toilet. Meer hadden we niet nodig. Het contract werd
getekend en moeder deed aankopen bij de slager en in de
groentewinkel om dit gebeuren te vieren en een extra lek-
kere maaltijd voor ons te koken.

In het voorjaar van 1966 kwam de verlossende brief van
vader. Hij had in Antwerpen werk gevonden als metser
bij een bouwbedrijf en weldra zouden we een postcheque

van duizend Belgische frank ontvangen. Voldoende om een maand te kunnen leven met het hele gezin.

Enkele maanden later kreeg ik er een zusje bij, Malika.

In het voorjaar van 1967 ontving mijn moeder opnieuw een brief van vader met de mededeling dat hij ons in de zomer kwam halen om naar België te gaan. Enige tijd later, op een avond, werd er op de deur geklopt en daar stond hij met een koffer en een grote zak. Het was hem aan te zien hoe erg hij ons gemist had. Iedereen werd uitbundig omhelsd en Malika werd voorzichtig vastgenomen. Na vijf zoons was hij heel blij met dit dochtertje. Terwijl wij onze cadeaus uitpakten, maakte moeder thee en allerlei hapjes. Blij met deze hereniging bleven we allemaal tot diep in de nacht op, tot iedereen doodmoe was.

Antwerpen, jaren van aanpassing, 1967-1969

Eind september 1967 vertrokken we ten slotte met zijn allen naar België. Het werd een lange, moeilijke reis. Met de trein naar de haven van Melilla, en van Melilla 's nachts met het schip naar Malaga. Wij, de kinderen, sliepen alsof we de harde banken niet voelden en de stampende motoren niet hoorden. Maar vader bleef wakker om over ons en de bagage te waken. Van Malaga reisden we per trein naar Madrid. In Spanje moesten we verschillende lokale treinen nemen tot de grens. Na de douane- en de paspoortcontrole konden we rechtstreeks naar Parijs sporen. Ondertussen waren we al drie dagen onderweg.

Eens in Parijs was België niet zo ver meer, toch zorgde ik nu voor de nodige opschudding. Ik was zo gefascineerd door de prachtige omgeving dat ik even uit de trein stapte om het stationsgebouw en de omliggende winkeltjes te bewonderen. Iets te lang blijkbaar, want de trein vertrok zonder mij! Mijn ouders en ik waren in paniek. Gelukkig bracht de treinwachter op het perron heil. Hij telefoneerde meteen naar de treinconducteur die mijn ouders vertelde dat ze aan de volgende halte konden uitstappen om mij op te wachten en samen verder te reizen. Mijn ouders waren zo opgelucht dat ze gelukkig vergaten boos te zijn.

De eerstvolgende trein voerde ons naar Brussel-Zuid en van daaruit namen we een laatste trein naar onze eindbestemming: het station Antwerpen-Centraal. We kwamen laat in de avond in Antwerpen aan. Het was koud en het schemerde al volop. Met de taxi reden we naar onze nieuwe thuis: een herenhuis in de Teichmannstraat, in de buurt van het Harmoniepark. Het appartement telde drie slaapkamers, een kleine living, een keuken en een toilet maar geen douche. De woonplaats lag op de eerste verdieping en was ingericht met tweedehandsmeubels die vader had gekocht. Mijn moeder kon er koken op een kolenkachel. Er was schimmel op de muren, maar op dat ogenblik stoorde dat niemand. We waren té gelukkig dat we herenigd waren en gezond en wel aangekomen.

Enkele weken later, in november 1967, werd ik samen met mijn broer Saïd ingeschreven in een school in Brussel. We kenden al wat Frans dankzij de school in Algerije (Algerije was een Franse kolonie), we zouden ons snel aanpassen.

Mohamed, de oudste broer, was ondertussen veertien jaar geworden en koos ervoor te gaan werken. Hij vond werk in een melkbedrijf.

Na een maand begon het schoolgaan zwaar te wegen. Elke dag om vier uur opstaan om met tram en trein tijdig in Schaarbeek te zijn en 's avonds laat terug thuis... Makkelijk is anders. Mijn ouders gingen op zoek naar een andere oplossing. Op het einde van het schooljaar kon ik mij inschrijven in het Sint-Norbertuscollege in Antwerpen en begon mijn broer Saïd te werken. Sint-Norbertus was heel wat dichter bij huis, maar hier stelde zich een ander probleem.

Dit was de vierde school in vijf jaar tijd. Ik paste me altijd goed aan en moeder zorgde ervoor dat we steeds naar school gingen, hoe benard of hoe moeilijk de situatie ook was. Maar vandaag begreep ik dat het heel moeilijk zou worden om de lessen te volgen. Ik kende immers geen woord Nederlands. Er werd les gegeven in een taal die ik nooit geleerd of gehoord had. Er was geen enkel aanknopingspunt. Als de leraar zei: 'T'as compris?' antwoordde ik: 'Ja' en staarde verder voor mij uit. Alleen de rekenles was een kleine uitzondering omdat de cijfers hetzelfde zijn in het Nederlands als in het Arabisch. De schooldirectie besloot om mij als elfjarige in een klas van negenjarigen te zetten. Zo werd ik de oudste jongen van de klas en bovendien de enige Marokkaanse leerling. Maar ook dat bracht niets op. Uiteindelijk verwachtten de leraars niets anders meer dat ik braaf en stil bleef, de gedragsregels volgde en de lessen niet stoorde. Het was ongetwijfeld een strenge school waar de heersende orde en rust werden gerespecteerd.

Voor de kleinste kinderen verliep het schoolgaan gemakkelijker. Zij waren al wat vertrouwd met de klanken van het Nederlands en de meest elementaire woorden van de taal. In het eerste studiejaar begonnen zij met het vormen van letters, het schrijven van eenvoudige woorden en het rekenen met eenvoudige sommen. Maar ook voor hen bleef het moeilijk.

Onze ouders konden niet helpen. Zij behoorden tot de overgrote meerderheid van mensen die nooit had leren lezen, schrijven of rekenen. Mijn ouders waren nooit naar school geweest en kenden alleen een hard leven van overleven en oorlogen. In België was dit hun dagelijkse kwelling: de kinderen niet kunnen helpen met wat als normaal werd beschouwd in deze nieuwe samenleving. Ze konden ons niet steunen in het verwerven van de noodzakelijke vaardigheden om in dit land als kind en later als volwassene te leven of te overleven. Zij konden ons niet troosten in onze mislukkingen.

Zonder bijkomende Nederlandse taallessen en zonder steun van mijn ouders kon ik nooit de verhoopte schoolresultaten halen. Ik maakte nauwelijks vorderingen en verveelde me dood op de schoolbanken. Dit kon nooit goed aflopen.

Die beginmaanden in België had ik veel heimwee. Ik miste mijn vrienden, mijn warm land. Ook mijn moeder had heimwee. Ze miste de familie en de buren, vooral de buurvrouwen. Hier hadden wij niemand. Niemand uit ons land, niemand met wie we konden praten. In de stad zagen we ook weinig Marokkanen. Alleen mannen die hier kwamen werken, of in de koolmijnen in Limburg, of in de loodfabriek van Hoboken. Hun vrouwen en kinderen waren nog in Marokko of in een ander land.

Flarden van herinneringen uit die beginjaren blijven hangen. Zo bijvoorbeeld 1968. Het was een erg strenge winter. De sneeuw viel met dikke vlokken uit de lucht. Wij kinderen vonden die sneeuw wel leuk. Tijdens de schoolvakantie gingen we naar het stadspark waar we naar hartenlust in de sneeuw konden ravotten. In de lente gingen we meestal naar het Harmoniepark of naar een andere plek om te voetballen. In de zomer vaarden we met de Flandriaboot naar het Noordkasteel om te gaan zwemmen.

Maar mijn moeder zat altijd helemaal alleen op een bank in een van de vele parken. Tot op een dag een andere vrouw, die ook alleen op een bank zat, naar haar toekwam en vroeg of ze een Marokkaanse was. Moeder vond het zo fijn eindelijk een vrouw te ontmoeten met wie ze kon praten. En hoe eenzaam moeder ook was, de andere vrouw was nog eenzamer. Zij had haar man verloren in een Limburgse mijn en was achtergebleven met een kleine dochter. Teruggaan was niet mogelijk. Mijn moeder en Zouliga leerden elkaar beter kennen, werden vriendinnen en kwamen bij elkaar aan huis.

Op een mooie dag kwam mijn vader plotseling thuis met een televisie. Het was een oud toestel, zo groot als een kast. Wanneer er geen beeld verscheen, moesten we de lamp vervangen. We ontvingen ook maar twee posten: BRT en RTBF. Maar de televisie zorgde voor veel blijdschap.

In die tijd waren er ook nog geen Marokkaanse bakkers of halal slagers in de stad, dus moeder kneedde tweemaal in de week rond Marokkaans brood. Op zondag ging mijn vader naar de Vogelmarkt om er een kip of een konijn te kopen en het dier ritueel te slachten op de binnenplaats. Heel af en toe ging hij naar een boer om een schaap te kopen. Het schaap werd geslacht bij de boer, na het afsterven ter plaatse in stukken gesneden, vervolgens bracht vader alles in een grote zak naar huis.

Dat jaar, 1968, had mijn moeder een misval van een tweeling.

Een jaar later verhuisden we naar een huis op het Zuid in Antwerpen. Een huis met twee verdiepingen, een oud pand, maar wel ruim en niet vochtig. Het jaar daarna zag mijn zusje Jamila het daglicht. Jamila was het eerste kind dat in België geboren werd en tevens ook het laatste.

Op het Zuid begon ik stilaan te wennen aan het leven in de stad. Het Zuid was in die jaren een aangename en kalme buurt. Het verkeer was er nog niet druk of agressief. De mensen waren rustig en vriendelijk, maar zij waren nog steeds vreemd voor ons en wij voor hen. We moesten nog veel van elkaar leren. Ook de taal was niet gemakkelijk, want de mensen spraken er geen Nederlands zoals we op school leerden, maar wel een plat Antwerps dialect.

Antwerpen, de jeugdbendes, 1969-1970

De jeugd van de stad was eind jaren 60, toen ik in mijn pubertijd zat, verdeeld in drie groepen: de hippies, de snobs en de motards. Elke wijk had zijn eigen bende en ook zijn eigen grenzen: de bende van Zurenborg, de bende van den Dam, de bende van het Zuid en nog vele andere.

Op school had ik een jongen leren kennen, Antonio, een Spanjaard. Zijn ouders waren enkele jaren eerder naar België verhuisd op zoek naar werk. Op een dag nam hij mij mee naar het jeugdhuis waar hij volleybal speelde. Hij moest zijn lidkaart tonen aan de loketdame in de inkomhal, een dame die ook mijn lidkaart vroeg. Die had ik uiteraard niet en voor ik binnen mocht, moest ik mij eerst inschrijven. Ongemakkelijk vroeg ik haar of ze Frans sprak en de dame, mevrouw Demeure-Lejeune, antwoordde met een vriendelijke blik: 'Natuurlijk spreek ik Frans.' Ze nam mijn identiteitskaart aan, schreef mij in en met deze pennenstreek werd ik meteen de eerste Marokkaanse jongen die de deur van de YWCA binnenging en er welkom was. Het was er warm en gezellig. Er waren ook veel ruimtes, niet alleen voor sportactiviteiten, maar ook voor muziekgroepen die er kwamen repeteren. Er kwamen groepjes jongens en meisjes tussen vijftien en achttien jaar. Ze droegen allemaal jeans en reden met kleine moto's en brommers. Zo werd ik lid van de bende van het Zuid. Mijn beste maten werden Frank en Swa. Frank sprak Frans omdat hij van Waalse afkomst was en Swa viel vooral op door zijn lang haar dat hij voortdurend kamde in een spiegel. Zijn bijnaam was 'Tarzan'.

Als het jeugdhuis dicht was, kwamen we samen in het park van het Koninklijk Museum voor Schone Kunsten. We hingen wat rond, keken op naar de grote jongens en hun meisjes op moto's met een hoog stuur, en speelden voetbal. Maar

De YWCA eind jaren 60.

opgepast, als er iemand in de buurt kwam die niet van de wijk was... dan was het gevaar groot dat hij een pak slaag kreeg. Ooit was ik getuige van zo'n vechtpartij tussen de bende van het Zuid en een andere stadsbende. Ze waren talrijk, in de twee kampen. Zowel de jongens als de meisjes vlogen op elkaar af, het stof vloog in het rond. Ze stampten elkaar en sloegen met kettingen en riemen. De politie moest tussenbeide komen, maar ook de ziekenwagen kwam aangereden want er waren veel gekwetsten.

Het ging er vaak heel hard aan toe, maar dit had niets met discriminatie te maken. Dit waren gewoon Antwerpse stadsjongeren met elk hun eigen cultuur.

In die periode kreeg ik het moeilijk. De school zag ik niet meer zitten. De taal was te moeilijk en ik kon er niets bijleren. En zo belandde ik op het verkeerde pad, samen met mijn vrienden. We zorgden voor overlast en vaak voor schade en ruzie. Mijn vader was dikwijls op het politiekantoor voor klachten, meestal voor gevechten met slagen en verwondingen.

Een van de jongens in het jeugdhuis, de Rosse genaamd, had een hekel aan mij omdat ik een migrant was. Telkens ik het jeugdhuis binnenkwam of als ik hem tegenkwam in het park, viel hij mij lastig. Op een zondagavond, toen ik met mijn vrienden op een bank in het park zat, kwam de Rosse met zijn bende eraan. Hij stevende recht op mij af en zei dat ik moest opstaan omdat hij wilde zitten. Ik weigerde en hij sleurde me overeind. Dit kon niet anders dan eindigen in een vechtpartij. Ik vloog op hem af. Maar hij was groter en sterker dan ik, hij vloerde me en kwam boven op mij te zitten. In paniek graaide ik achter mij naar een steen en sloeg hem daarmee op zijn achterhoofd. Zijn ogen draaiden weg en hij viel bewusteloos. In paniek dacht ik dat hij misschien dood was en vluchtte ik naar huis in mijn kamer. Tegen mijn ouders durfde ik niets te zeggen. De volgende dag op school bleef de onrust knagen tot tien minuten voor de middag twee politie-inspecteurs mij ophaalden. Ik verscheen voor de jeugdrechter en belandde nadien in het verbeteringsgesticht Vrij en Vrolijk in Brasschaat, bij een groep leeftijdsgenoten met als begeleider een jonge man van dertig jaar. Toen werd ik verteerd door een verschrikkelijk schuldgevoel over wat ik allemaal had uitgestoken en wat ik mijn ouders had aangedaan. Vaak kon ik niet eten of slapen.

In Vrij en Vrolijk was alles weer nieuw voor mij. Op een woensdagmiddag kregen we soep, aardappelen en vlees. Ik liet het vlees op mijn bord liggen. De begeleider had dit gezien en vroeg waarom ik niet wilde eten. Ik antwoordde dat ik moslim was en geen varkensvlees kon en mocht eten. Hij zei dat ik moest eten wat ik op mijn bord kreeg, tot alles op was. Ik weigerde opnieuw en werd afgestraft met een klap in mijn gezicht. Ik voelde een plotse pijn en gaf hem een duw. Hij greep me bij mijn nekvel en sloot me als straf op in een klein bureel. Daar moest ik blijven terwijl de anderen buiten mochten spelen.

De gedachten tolden door mijn hoofd. Ik voelde me als een vogel in een kooi en dat alles omdat ik vlees weigerde te eten dat mijn geloof me verbood te eten. 's Avonds werd ik vrijgelaten en ik vervoegde de groep in de refter voor het avondeten. De sfeer was om te snijden. Iedereen was muisstil en bang. Ik had geen eetlust, ondanks een lege maag, en opnieuw werd ik gedwongen mijn bord leeg te eten. Elke hap slikte ik met moeite door.

Toen mijn vader tijdens het ouderlijk bezoek het relaas van deze belevenissen had gehoord, kwam hij met een tolk naar de instelling om uit te leggen dat het voor een moslim verboden is varkensvlees te eten. Ze hadden er nooit eerder een migrant opgevangen en wisten helemaal niets af van onze gebruiken. Vanaf die dag werd ik met rust gelaten en kon ik eten wat was toegestaan door mijn godsdienst. Op de bezoekdagen bracht mijn vader ook eten mee van thuis.

Enkele weken later, op een zonnige zomerdag, speelden we een match voetbal. Dat was heel lang geleden en ik genoot ervan. Onder het spel raakte mijn voet, onopzettelijk, de enkel van een andere jongen. Onmiddellijk kreeg ik een vuistslag in het gezicht. Het bloed gutste uit mijn neus en door de pijn verloor ik mijn zelfcontrole. Ik vloog op de jongen af en begon te vechten. Ik raakte hem met handen en voeten, maar ik alleen had sporen van verwondingen. We werden door de begeleiders uit elkaar gehaald en naar de verzorgers gebracht.

Na drie maanden moest ik opnieuw voor de jeugdrechter verschijnen. Samen met mijn begeleider en mevrouw Blomme, de verantwoordelijke van Vrij en Vrolijk, werd ik in een Volvo uit de jaren 60 naar het justitiepaleis gebracht. Tijdens de rit werd er over mijn persoon of mijn vooruitgang met geen woord gerept. Er werd tussen de twee personeelsleden van Vrij en Vrolijk over niets anders gesproken dan over geld. Wie er een nieuwe auto had gekocht, enzovoort. Toen ik voor de jeugdrechter stond, in aanwezigheid van mijn vader, moesten mijn begeleiders uitleg geven over mijn gedrag. Hun verslag was totaal negatief. Ik kon mijn oren nauwelijks geloven. Ook mijn vader begreep er niets van. De jeugdrechter besliste daarop dat ik nog een paar maanden moest blijven.

Hoewel die periode heel onaangenaam was, was er toch iets positiefs. Ik had als kamergenoot een jongen die op heel jonge leeftijd door zijn ouders was achtergelaten. Hij had zijn vader in jaren niet meer gezien. Op een dag kreeg hij familiebezoek. Zijn vader stond plotseling, als verschenen uit het niets, voor zijn neus. Ik was benieuwd hoe hij zou reageren, maar zijn gezicht verried geen enkele emotie. Geen blijheid, geen verdriet. Hij leek wel leeg van binnen, maar ik voelde me geraakt in zijn plaats. Tijdens het bezoek kreeg de jongen een gitaar. Het instrument interesseerde hem geen zier en hij liet de gitaar gewoon naast bed staan. Na een tijdje vroeg ik of ik er eens op mocht spelen. En wat er toen gebeurde, kan ik amper beschrijven: dat eerste moment dat ik de snaren beroerde, de emoties die toen door mijn bloed stroomden...

Na vijf maanden Vrij en Vrolijk werd ik uiteindelijk vrijgelaten. Ondertussen was ik vijftien jaar en niet meer schoolplichtig, ik ging op zoek naar werk. Eerst kon ik aan de slag als schrijnwerker en enkele jaren later als loopjongen bij het Instituut voor Tropische Geneeskunde. Vervolgens werd ik arbeider in de raffinage van Metallurgie Hoboken. Op mijn vrije avonden volgde ik vioolles aan de muziekacademie. Afstuderen met een diploma is jammer niet gelukt door de wisselende werkshiften in de fabriek.

In het midden van de jaren 70 begonnen we de eerste tekenen van discriminatie en vernedering te voelen en mee te maken. Er gebeurden zaken op de Keyserlei, de Groenplaats en ook op andere plaatsen die wij niet goed begrepen. Aan de ingang van chique cafés, restaurants en dancings verschenen uithangborden met '*Interdit aux Nord-Africains*', zelfs met '*Interdit aux chiens et aux Nord-Africains*'. In dancings hielden de portiers vreemdelingen tegen. De toegang werd geweigerd aan al wie van het Maghrebijnse type was. Ook brave, rustige jongeren werden niet toegelaten. Gewoon omdat ze Noord-Afrikaan waren. Hetzelfde fenomeen deed zich voor op de huizenmarkt. Iemand opende de deur en na een korte blik, zonder het minste woord, werd ze met een smak voor onze neus toegesmeten. Die ongefundeerde haat en discriminatie begon ook opgang te maken op het werk en in de voetbalsport.

Antwerpen of Marokko, loslaten of niet, 1971-1972

Marokko loslaten of niet loslaten, het is een moeilijke keuze die we uiteindelijk nooit hebben gemaakt.

In 1971 kochten mijn ouders een tweedehandscamionette van het merk Volkswagen om in de zomer twee maanden met vakantie naar Marokko te gaan. Begin juli begonnen ze met inpakken. De camionette zat binnen de kortste keren volgeladen met een tapijt, een hoog houten uurwerk, zakken vol kleren voor de familie, en fietsen voor een mogelijk noodgeval. Het was een afmattende reis. Bovenop de lading reisden zeven kinderen van alle leeftijden mee. Jamila, net een jaar oud, Malika, zes jaar oud en wij, de jongens, volop in onze tienerjaren. In de maand juli was het erg warm in de overvolle camionette. Slapen deden we zittend of 's nachts op het tapijt op de parking. Mijn vader sliep niet, hij was te moe. Na vier dagen bereikten we Malaga voor de overtocht naar Melilla in Marokko. Dit voelde meteen aan als 'thuis'. Van Melilla reden we naar Nador, de weg die mijn moeder in haar herinnering én haar verhalen al zo vaak had afgelegd, te voet met haar baby op haar rug. Van Nador reisden we tot slot naar Oujda, waar onze familie ons zou opwachten. Ongeacht het ogenblik van aankomst.

Om elf uur 's avonds kwamen we in Oujda toe. Nonkel Mohamed, zijn vrouw en onze neefjes en nichtjes vlogen ons om de hals. We werden gastvrij ontvangen en we aten samen. Het was gezellig kletsen tot uren in de nacht, terwijl we een voor een in slaap vielen.

Na enkele dagen kwamen we op positieven en begonnen mijn ouders aan de uitvoering van hun plan: in Marokko een huis kopen om er elk jaar de vakantie door te brengen. Mijn ouders hadden vooraf inlichtingen ingewonnen. De prijzen waren laag en ze hadden een behoorlijke som geld gespaard. Ze slaagden erin een huis te kopen voor 3800 euro. Na betaling en het afhandelen van de nodige documenten, kochten ze de noodzakelijke huisraad aan: kookplaat, koelkast, huishoudspullen en een Marokkaans salon. Toen alles geïnstalleerd was, nodigden ze iedereen uit voor een familiefeest. Ooms en tantes en hun gezin. Het was een heel fijn familiefeest. De enige domper op de feestvreugde was dat mijn grootmoeder ontbrak. Na het overlijden van mijn grootvader, Moh ben Dadi, verbleef zij nog steeds in het huis in Aïn Témouchent in Algerije.

Maar dit gemis kon gemakkelijk opgelost worden. Aïn Témouchent was tenslotte niet zo ver. We hadden een verrassingsbezoek gepland en troffen grootmoeder aan in het huis van de buurvrouw. Overgelukkig waren we elkaar terug te zien.

Mijn grootmoeder was nog steeds enthousiast, vrolijk, zelfstandig, sterk en actief in haar vriendinnenkring die regelmatig samenkwam en op de bendir speelde. Hun samenkomsten waren vergelijkbaar met een soefiritueel. Wij noemden het '*lhadra*'. De vrouwen vormden een kring, speelden bendir en zongen religieuze teksten. Soms kregen ze bezoek van een depressieve vrouw of van een vrouw die morele problemen had.

Op zo'n moment lieten zij de vrouw in het midden van de kring neerzitten en begonnen ze te zingen en te bewegen, steeds maar harder en ritmischer, zonder ophouden. Tot de vrouw begon te roepen en te huilen en ze ten slotte flauwviel. Dan stopten ze en bewaarden ze de stilte tot de vrouw terug tot bewustzijn kwam en zich lichter en rustiger voelde. Daarna werd er muntthee geschonken en werd de vrouw een gelukkig leven toegewenst.

Aïn Témouchent was ondertussen erg veranderd. Van de mooie landbouwgebieden was weinig tot niets overgebleven. We bezochten ook de begraafplaats waar onze gestor-

ven broertjes Bel Kasem, Rashid en Achor en mijn grootvader Moh ou Dadi begraven zijn. De kinderen liggen naast
elkaar, dicht bij hun opa, onder een boom. Vroeger ging
mijn moeder hen bijna elke vrijdag bezoeken. Wat is dat
lang geleden. Drie dagen later namen we afscheid van mijn
grootmoeder en keerden we terug naar ons huis in Oujda.

Ons volgende bezoek ging richting Sidi-bel-Abbès, naar
tante Menana en tante Fatna. Tante Fatna was de jongste
zus van mijn vader. Ze had, samen met haar man Jakob,
haar halfzus Menana in Algerije vervoegd om te werken
in de landbouwsector. Beide families waren ondertussen
verhuisd naar een grote woning in het kleine dorp Boulie
op het platteland, een streek waar ze in overvloed van het
groen en de kleuren van bloemen en fruitbomen genieten.
De blijdschap was weerom heel intens toen onze families
elkaar ontmoetten, zeker voor mijn vader die eindelijk zijn
halfzus en jongste zus terugzag.

Maar er was ook ander nieuws. Mijn vader kwam voor
een *lemleik*.[2] Hij wilde de hand van Mamat vragen, de dochter van Fatna, voor mijn oudste broer Mohamed. Mijn vader
verheugde zich op dit voorstel omdat dit huwelijk de band
met zijn familie zou versterken. Op zijn huwelijksdag had
vader uitdrukkelijk de verantwoordelijkheid voor Mohamed, de zoon uit mijn moeders eerste huwelijk, op zich
genomen en hem zijn naam gegeven. Sindsdien beschouwde
hij Mohamed als zijn zoon en schonk hij hem alles wat hij
ook aan zijn eigen kinderen gaf: kleding, cadeaus, kleine en

---

2 *Lemleik*: handvraag.

grote attenties en onderwijs voor zover dat mogelijk was. Nu had Mohamed de volwassenheid bereikt en was hij zelf rijp om een gezin te stichten.

Zowel Mohamed als Mamat stemden in met de keuze die voor hen was gemaakt, wat de beide families enorm verheugde. Mijn vader offerde voor deze feestelijke gelegenheid een schaap. De trouwplannen werden gesmeed voor de volgende zomer, in dit jaargetijde verbleven de meeste families in Marokko. Ons bezoek duurde drie dagen en ondertussen bezochten we ook het graf van ons oudste zusje Fatima dat amper vier maand na haar geboorte was gestorven.

Mijn vader wilde vervolgens ook graag zijn familie in Beni Oulichek bezoeken, hoog in het Rifgebergte. Het was meer dan zesentwintig jaar geleden dat hij hen nog had gezien. Onze camionette moest een zware inspanning leveren om langs de hoge, smalle bergwegen vaders geboortehuis te bereiken.

Beni Oulichek is een heel bijzondere streek. De huizen aan de kant van Ben Taïb zijn versmolten met de bergen. De mensen hebben er grote ruimtes uitgekapt in de bergwand en in die gewonnen ruimte huizen gebouwd. Het geboortehuis van mijn vader was verdwenen. Er lag nog enkel een hoop zand en wat stenen, maar in het dorpswinkeltje vertelde men waar het huis van *azizi*[3] Mohamed, de broer van mijn vader, te vinden was. Ook zijn huis was in een bergwand gekapt.

---

3 De broer van vaderskant wordt 'oom' of '*azizi*' genoemd, van moederskant 'nonkel'.

Mijn vader klopte aan en een klein meisje deed open. Haar moeder kwam kijken en vroeg wie we waren. 'Ik ben Mimoun, Mohameds broer', zei mijn vader. 'Allah! Godzij-dank. Mimoun is terug!' Zijn schoonzuster liet ons binnen en iedereen omhelsde elkaar van blijdschap én ontroering, een hereniging na zesentwintig jaar. Laat op de avond zat het grote huis vol met de familie van Mimouns halfbroers: *azizi* Allel en *azizi* l'Hoesien en kinderen. Er was ruim plaats voor iedereen. Het huis was zo gebouwd dat het eeuwig kon blijven bestaan. Drie kamers, gezellig ingericht, versierd met mooie, zelfgemaakte wollen tapijten, met kussens in warme kleuren langs de muren en ronde tafels met olielampen die de ruimte in een warme gloed van licht zetten. In de kamers kon je de geur van de berg ruiken. In een van de kamers waren er twee kleine kamers uitgehouwen voor het toilet en de douche.

Mijn moeder zat in de kamer bij de vrouwen, de mannen in de andere kamer. Er heerste een warm, rustig gevoel. In de keuken begonnen de vrouwen aan het bereiden van het avondmaal voor een grote familie. Het leek één groot feest, net zoals het Suikerfeest. Vriendelijkheid en gastvrijheid, zo diep ingeworteld in de traditie. In de bergen leven ze zo.

Bij de start van de zomervakantie in 1972 stond onze camionette opnieuw volgeladen klaar. Net zoals vorig jaar hadden we negen passagiers te vervoeren: onze ouders en de zeven kinderen, iedereen vol verwachting voor het grote feest. We reisden samen met de familie Dalla, goede buren, die in hun groene Peugeot 404 dezelfde weg moesten afleggen. Hun bestemming was een klein stadje, Berkan, niet ver van Oudja, in een streek die bekendstond als het 'land van de clementines'. We spraken af elkaar te bezoeken in Marokko.

Bij aankomst zagen we ons huis maar wat graag terug. En we werden duidelijk verwacht. Elke dag kregen we familiebezoek, ook vaders familie uit het Rifgebergte. Iedereen was op de hoogte van het nakende huwelijk.

Een week na onze aankomst begon het huwelijksfeest. Het was een groot feest, alles was tot in de puntjes verzorgd. In Marokko neemt een huwelijksfeest twee dagen in beslag. De eerste dag, de dag van de henna, wordt op handpalmen, handen en voeten van bruid en bruidegom henna aangebracht volgens de traditie van de streek. De tweede dag vindt het grote feest plaats. Mijn vader liet vier schapen slachten om genoeg te kunnen aanbieden aan iedereen. De hele familie was uiteraard aanwezig, zelfs mijn oma die door oom Chaïb helemaal uit Algerije was overgebracht. Ook de familie Dalla hadden we uitgenodigd. Het was druk en er was veel werk, maar iedereen stak enthousiast een handje toe.

De laatste avond was het belangrijkste moment van het feest voor bruid en bruidegom. Geschenken werden overhandigd. Er speelde een muziekgroep en er werd gedanst en gezongen tot het morgenlicht aan de horizon verscheen. Ten slotte werd, geheel volgens de traditie, de bruidegom door enkele mannen naar de kamer van de bruid gebracht. De volgende dag, laat in de namiddag, toen iedereen was uitgerust en de feestrommel was opgeruimd, brachten de vrouwen en de meisjes eten en koekjes naar Mamat die nog in bed lag. Volgens de traditie mag de bruid haar nieuwe slaapkamer twee dagen niet verlaten.

Na het feest was het voor ons tijd om de vakantie te beëindigen en naar België terug te keren. Een reis van vier dagen die ervoor zorgde dat we blij waren om terug thuis te zijn, hoewel we het warme klimaat misten. Mohamed en Mamat kwamen een week later in België aan, met het vliegtuig.

Het weerzien, 1975-1979

Pas drie jaar later, in 1975, gingen we terug naar ons land. Mijn grootmoeder woonde al sinds de voorbije winter in ons huis daar. Ze was uit Algerije verdreven en had al haar bezittingen verloren. Ze was niet de enige. Tienduizenden Marokkaanse gezinnen, die destijds voor de Grote Droogte waren gevlucht en een nieuw leven hadden opgebouwd in Algerije, deelden hetzelfde lot. Eertijds waren ze hartelijk, als buren, in de gemeenschap opgenomen. De Marokkanen namen deel aan het openbare leven in hun nieuwe thuis-land, ettelijke Marokkanen hadden zelfs mee strijd gevoerd tegen het Franse bewind. Maar na de onafhankelijkheid van Algerije in 1962 takelden de betrekkingen tussen de twee buurlanden af. Er was onenigheid over de grensgebie-den en er ontstond een ernstig conflict over de Westelijke Sahara. Zowel Algerije als Marokko dachten aanspraak te kunnen maken op dit gebied. Dit politiek conflict sleepte jaren aan en mondde in de jaren 60 uit in de verdrijving van Fransen en Spanjaarden. Begin jaren 70 had het conflict ook zware gevolgen voor de Marokkaanse burgers die in Algerije woonden. Ze moesten al hun bezittingen, huizen en winkels achterlaten. Ze mochten niets van waarde meenemen. Bejaarden en families, zelfs met kleine kinderen, werden van de ene dag op de andere, zonder enige vorm van bestaansmiddelen, over de grens gezet. Ik herinner me dat op enkele dagen 45.000 mensen in één keer werden uitgedreven. Mijn tante Fatima en haar gezin en iets later mijn grootmoeder werden ook verdreven.

De toenmalige koning, koning Hassan II, riep op tot solidariteit en Marokko reageerde met veel empathie. Onmiddellijk werd voor opvang van de landgenoten gezorgd. Aan de grens stonden bussen klaar om de vluchtelingen naar een onderkomen te brengen. Er was voedsel, er waren tenten, dekens en medische verzorging. Later werden de vluchtelingen geholpen met een verblijf of een sociale woning en werden ze bijgestaan in hun zoektocht naar werk. Sommige vluchtelingen vertrokken weerom naar het buitenland om elders van nul af aan te herbeginnen.

Mijn grootmoeder vond gelukkig meteen een onderkomen in het huis dat mijn ouders in Marokko hadden gekocht. Het was niet ver van de plaats waar ze zoveel gelukkige jaren met haar man Moh ou Dadi had geleefd, maar ze miste toch haar vroegere leven. Vooral de wekelijkse bijeenkomsten met de vriendinnen waarmee ze bendir speelde.

Vier jaar later gingen mijn halfbroer Mohamed en zijn vrouw Mamat op vakantie naar Oujda. Mohamed wilde al lang op zoek gaan naar zijn broer Chaïb en zus Temouch, de

twee andere kinderen uit het eerste huwelijk van mijn moeder. Hij had ze nog nooit ontmoet. Na lang navragen, kwam
hij te weten dat ze ook naar het buitenland waren vertrokken: Chaïb waarschijnlijk naar Parijs en Temouch naar
België, maar het exacte adres kende niemand. Temouch
ging wel om de twee jaar met haar gezin op vakantie naar
Marokko, dus liet hij een boodschap na dat hun moeder nog
leefde en in België verbleef. Aan mijn moeder verklapte hij
niets.

Een paar maanden later werd er 's avonds aan de deur
gebeld. Vader deed open en zag een vrouw. Achter haar
stond een auto met een man en twee kinderen. Het regende
en er waaide een straffe wind. De vrouw vroeg aan vader:
'Woont Fadma Bent Dadi hier?' Haar ogen stonden vol
tranen. 'Ja', zei vader, 'ze woont hier. Maar wie ben jij?
Wat is er gebeurd? Je lijkt in paniek?' Hij dacht onmiddellijk aan een ongeval of zo. 'Neen', zei ze, 'er is niets
gebeurd. Ik wil haar alleen maar zien.' Vader ging moeder
halen. De twee vrouwen keken elkaar in de ogen. Moeder
kreeg een raar gevoel, maar ze herkende de vrouw niet. Ze
vroeg haar wel binnen te komen, uit de regen. De vrouw
bleef maar staren en er vloeiden almaar meer tranen.
Plotseling wierp ze zich in de armen van mijn moeder
en zei: 'O mama, mama' en ze begon haar te kussen. 'Ik
ben Temouch, mama, ik ben je dochter Temouch!' Moeder begon over haar ganse lichaam te beven en wist niet
wat antwoorden. Ze dacht herhaaldelijk: 'Hoe heb ik haar
ooit kunnen achterlaten?' Temouch was heel mooi, ze
was een volwassen vrouw geworden. Moeder en dochter

konden elkaar niet loslaten. Zoveel emotie. Vreugde maar ook verdriet, pijn en hervonden warmte. Mijn moeder kon geen woord uitbrengen. Haar lippen en haar mond werden helemaal droog, haar hoofd begon te draaien en langzaam viel ze bewusteloos op de grond. Mijn vader en de echtgenoot van Temouch droegen haar naar de zetel in de living. Daar kwam ze terug tot bewustzijn door de strelende hand van Temouch.

Het was al tien uur 's avonds, maar Temouch liep onmiddellijk naar een telefooncel om haar broer Chaïb te verwittigen dat ze moeder had teruggevonden. Chaïb aarzelde geen moment en vertrok meteen vanuit Parijs. Rond twee uur 's nachts belde hij aan. Temouch ging opendoen. Ook Chaïb was dol van vreugde en stortte zich wenend in de armen van mijn moeder. 'Godzijdank hebben wij onze moeder terug!' Diezelfde nacht bleven Chaïb en Temouch logeren, maar Chaïb moest heel vroeg vertrekken naar zijn werk in Parijs. Het weekend daarna keerde hij weer met zijn kinderen en zijn ze allemaal blijven slapen in het huis.

Mijn moeder was dat weekend de koningin te rijk. Ze was niet alleen omringd door ons, maar ook door twee kinderen die ze dertig jaar niet meer had gezien en vijf kleinkinderen die ze voor de eerste keer zag. We brachten de hele dag door in het park en de speeltuin, maar 's avonds, toen de kleinste kinderen sliepen, kwam uiteindelijk de pijnlijke vraag. De onvermijdelijke vraag die in moeders hoofd bleef rondspoken: 'Hoe komt het dat wij geen woord van jou hoorden mama, en dat je nooit naar huis bent gekomen?'

En zo hoorden wij nog eens het verhaal dat wij door en door kenden, maar dat moeder voor de eerste keer ook aan haar oudste kinderen kon vertellen.

'Mijn lieve kinderen, ik ben weggegaan omdat ik niet meer verder kon leven met de man die jullie vader was. Hij was hardvochtig, opvliegend en telkens ik hem tegensprak, sloeg hij mij. Hij sloeg vaak heel hard, met alles wat hij in het wilde weg te pakken kreeg. Ook op momenten dat ik hem geen strobreed in de weg had gelegd. Het werd met de dag erger en ik kon het niet langer aan. Ik was bang. Als hij thuiskwam of als ik hem zelfs maar hoorde aankomen, voelde ik angst. Alleen maar angst. Ik dacht in mijn wanhoop samen met jullie te vluchten. Lange nachten lag ik wakker en ik kon mijn gedachten niet meer ordenen. Wat mij het meest raakte, waren de scheldpartijen. Er was geen enkele vorm van respect meer. Toen heb ik een besluit genomen. Ik zou naar mijn ouders vluchten en jullie alle drie meenemen. Mijn hoofd werd weer helder en ik begon mijn reis te plannen.

De weg naar Aïn Témouchent in Algerije is heel lang en hoe meer ik erover nadacht, hoe meer ik de gevaren zag. Hoe kon ik jullie beschermen? Zonder onderkomen? Wat als een van jullie ziek werd, hoe zou ik dan voor de anderen kunnen zorgen? Wat als jullie te moe werden? Ik had geen geld voor bus of trein. Wat als een persoon of een gevaarlijk dier jullie zou aanvallen? Hoe zou ik jullie kunnen verdedigen? En de allerbelangrijkste vraag: hoe zou ik elke dag aan eten en drinken komen? Met een baby is dat geen probleem, die kon ik zelf voeden, maar twee grote kinderen hebben meer nodig om te overleven. Hoe ik het ook draaide of keerde, er was maar één mogelijkheid. Ik kon de lange weg in mijn eentje afleggen met mijn baby op de rug... maar jullie moest ik achterlaten bij jullie vader. Zijn woede was toch alleen tegen mij gericht. Hij zou jullie nooit kwaad doen, hij zou jullie de beste zorgen geven. Ik heb dus mijn verstand gevolgd en mijn pijn diep in mij verborgen. Enkele keren heb ik mensen ontmoet aan wie ik kon vragen hoe jullie het stelden, en ik vernam telkens dat ik mij geen zorgen moest maken. Jullie woonden gezond en wel bij jullie vader in Tarquist, in de Rif. Dat ik jullie niet ben komen opzoeken, kwam door de angst die onuitwisbaar in mijn geheugen gegrift stond. Ik ben steeds blijven hopen dat er een dag zou komen dat ik jullie zou terugzien en in mijn armen sluiten. Die hoop hield mij sterk en nu is deze dag gekomen. Ik ben zo dankbaar voor dit grote geluk, het geluk om jullie te kunnen terugzien als grote en goede mensen. Vergeef mij alsjeblief mijn fout en mijn zwakheid.'

Dit moment was zeker het rijkste en gelukkigste moment uit het leven van mijn moeder.

De wereld van de muziek, 1977

Toen ik stilaan de volwassen leeftijd bereikte, kwam ik door een speling van het lot in een heel andere wereld terecht: de wereld van de muziek en het theater. Na mijn eerste probeersels op de gitaar en de vioollessen aan de muziekacademie, koos ik tot slot voor de Arabische luit die ik als

De muziek veranderde mijn leven. Hier speel ik banjo.

autodidact leerde bespelen. Zij veranderde mijn leven eens en voorgoed. De muziekwereld was een wereld waarin ik mij helemaal thuis voelde.

In 1977 verliet ik het ouderlijk huis en ging ik samenwonen met enkele vrienden in een gemeenschapshuis. We deelden de kosten en de ruimtes. Ik koos ervoor om op zolder te slapen omdat ik graag dicht bij de hemel lig.

Op een dag belde een man aan. Hij was op zoek naar Philip, een van onze huisgenoten, een Burundees van herkomst. De kerk had Philip, omwille van de oorlog in Burundi, overgebracht naar België toen hij nog heel klein was. In België werd hij geadopteerd. We noemden hem Philip Rasta omdat hij in reggaestijl op de conga's speelde. Soms speelden we samen.

Ik liet de man binnen in onze gemeenschappelijke living en bood hem koffie aan. Terwijl we zaten te wachten op Philip voerde het gesprek ons naar een gezamenlijke interesse: de muziek. Hij wilde graag mijn 'instrument' en mijn stem horen. Ik zong een Marokkaans volkslied begeleid met de luit. De bezoeker bleek Tone Brulin te zijn, een bekend Vlaams theatermaker, regisseur en schrijver. Een man met een heel opvallende, wijze blik. Hij was op zoek naar allochtone en autochtone acteurs en muzikanten voor het theaterstuk *Ba Anansi, Die dood van spin*, gebaseerd op het boek van de Surinaamse schrijver Edgar Cairo. Ik vroeg hem of ik muziek mocht spelen bij het stuk en hij antwoordde: 'Misschien, maar ik kan niets beloven.' Philip liet op zich wachten, of was de afspraak vergeten, en Tone moest vertrekken. Hij gaf me het adres van het repetitielokaal van het theatergezelschap TIE 3[4] in Deurne en vroeg me Philip te verwittigen dat de eerste repetitie zou plaatsvinden volgende week dinsdag. Ik mocht me ook aanmelden voor een proef.

De dag van de repetitie was iedereen aanwezig: acteurs en actrices, volop bezig hun tekst in te studeren. Tone gaf me een kleine tekst die ik mocht voorlezen en nadien acteren. Mijn personage was een gekke dokter. Op dat ogenblik voelde ik heel intens aan dat iemand de deuren van het kunstpodium voor mij had geopend. Ik speelde de rol zonder aarzeling of zenuwen. Tone vond mijn acteerprestatie goed en ik kreeg de rol. Het was de eerste maal dat ik acteerde. Van arbeider in de Metallurgie Hoboken had ik het geschopt tot acteur op de planken van de oude Arenbergschouwburg in Antwerpen, voor een volle zaal, tijdens een benefiet voor UNICEF.[5]

Nadien kwam ik terecht in andere theatergezelschappen: De Zwarte Komedie, Woestijn 93, kindertheater Luxemburg, Ceremonia in Gent en MartHA!tentatief. Ik kreeg ook televisierollen in *Familie*, *Zone Stad* en *Wittekerke* en trad op in de musical *Aladdin*. Zelf produceerde ik drie theaterstukken: *Moha* en *Tarik* en recent, samen met Jokke Schreurs, het stuk *De Grenzen*.

---

4   TIE 3 is het Theater van de Derde Wereld, het theatergezelschap van Tone Brulin.

5   Een organisatie van Tone Brulin en Hilde Craeybeckx die de eerste redactie van dit boek op zich nam en helaas overleden is. Nadien werd de redactie overgenomen door Sabine Denissen.

Op muzikaal vlak had ik al veel vroeger, in 1983, samen met Wannes Van de Velde opgetreden in het project *Culturen als Buren*. Een bijzonder warm project met een heel bijzondere vriend.

Op de scène met Wannes Van de Velde, een heel bijzondere vriend.

Antwerpen, wel en wee, 1988-1991

In 1988 kocht mijn broer Abdelha een huis op het Zuid waar vroeger een bakkerij gevestigd was. Abdelha begon er met een van de eerste Marokkaanse bakkerijen: bakkerij Zahnoun. Ondertussen doken er ook andere Marokkaanse winkeltjes op: vooral fruit- en groentewinkels met producten die in de gewone winkels niet te koop waren: couscous, munt, platte peterselie, kikkererwten en verschillende soorten bonen. De bewoners van het Zuid kwamen ook bij ons kopen. Zij vonden het fijn dat onze winkels op zondag open waren.

Op een namiddag in juni 1991 belde iemand aan. Het was Aïcha, onze buurvrouw. We waren al jaren buren. Ze was een vrouw zoals mijn moeder en de andere vrouwen die in de jaren 70 naar België waren gekomen. De mannen gingen naar hun werk en de moskee, de vrouwen bleven thuis. Als ze zich verveelden, kwamen ze bij elkaar om bij te praten en thee te drinken. Ze kenden alles van elkaar: elkaars huis, elkaars gezin en elkaars kinderen. Maar verder wisten ze niets van de buitenwereld of van het stadsleven af. Als etenstijd naderde, haastten ze zich naar huis om te koken. Hun leven stond helemaal in het teken van de familie. Aan buitenshuis werken dachten ze niet.

Kort na het bezoek van de buurvrouw kwam mijn vader thuis met de boodschappen en ik zag een droevige blik in zijn ogen. Hij ging naar de keuken, legde de zak met etenswaren op de tafel en kwam terug naar de huiskamer. Hij had nog altijd geen woord gezegd. Hij was zo stil en dat gaf me een raar en bedroefd gevoel. Ik voelde dat er iets mis was met de familie in Marokko omdat we 's morgens een brief uit het buitenland hadden ontvangen. Ik vroeg hem wat er in de brief stond en vader vertelde dat zijn broer Mohamed stervende was. Zijn blik leek zich helemaal te richten op de andere kant van de wereld. Mohamed was de enige broer die hij had van dezelfde moeder en hij had hem zelden ontmoet.

Die nacht kon hij moeilijk slapen. De uren van de nacht leken eindeloos want hij wilde zo snel mogelijk een reis boeken. Na twee dagen kon hij vertrekken en nog diezelfde avond arriveerde hij met een taxi in Beni Oulichek waar het huis van Mohamed in het hart van de berg was uitgehouwen. Zijn broer lag op een dun matras op de grond. Hij was heel mager en leed aan leverkanker. De familie en zijn kinderen waren daar, diep bedroefd, maar ook verheugd dat mijn vader was overgekomen.

Later vertelde hij mij: 'Ik ben naast hem gaan zitten en gaf hem een kus op het voorhoofd. Ik nam zijn hand die heel mager was geworden en geen kracht meer had. Zijn ogen waren half gesloten en ik begon dicht tegen zijn oor te spreken om hem wakker te maken zodat hij mij kon zien. "Ik ben je broer Mimoun." Hij opende zijn ogen, keek naar mij en vroeg mij water. Ik nam een beker water en ondersteunde zijn hoofd om hem rustig te laten drinken. Ik vroeg hem: "Herken je mij? Ik ben je broer Mimoun." En hij antwoordde: "Natuurlijk herken ik je, je bent mijn broer Mimoun." Op dat ogenblik werd ik overweldigd door emoties. Het lijden duurde geen week meer. Mohamed stierf op de leeftijd van tweeënzeventig jaar, maar ik dank God dat ik hem nog heb kunnen zien vooraleer hij stierf.' Hij werd begraven in hun berg, Jebel l'mhajar, in Beni Oulichek.

Mekka, 1993

Het is de droom van elke Marokkaan om eenmaal in zijn leven de grote pelgrimstocht naar Mekka te kunnen ondernemen.[6] Het is het hoogtepunt van zijn religieuze leven en voor iedere moslim een indrukwekkende ervaring. Mijn vader had vroeger al deelgenomen aan de bedevaart, eenmaal voor hemzelf en eenmaal in naam van zijn vader. In 1993 besloot hij samen met mijn moeder te gaan. Voor haar was deze bedevaart, de hadj, een diep verlangen dat werkelijkheid werd.

Ter voorbereiding van de reis werden een *sadaqa* en een *talba* gehouden en buren en vrienden werden uitgenodigd. De mannen en vrouwen zaten zoals gebruikelijk in aparte kamers. Iedereen sprak over de voorgelezen Koranverzen en over de hadj. Een uur voor zonsondergang zat de hele kamer vol mensen die zich overgaven aan het avondgebed. Daarna werd er samen gegeten en gedronken en werd de *Sorat al fetha*[7] gelezen, de wens dat God mijn ouders moge beschermen tegen het kwaad en een wens voor een gelukkige toekomst voor de familie.

De dag van het vertrek brachten wij onze ouders naar de luchthaven. Daar zagen we honderden andere passagiers, mannen en vrouwen, die ook naar Mekka reisden. De vlucht duurde twee uur en toen ze landden, stonden bussen de passagiers op te wachten om hen naar hun hotels te brengen.

---

6   De pelgrimstocht naar Mekka is de laatste van de vijf basisplichten van het islamitisch geloof.
7   *Sorat al fetha*: Koranvers dat alleen gelezen wordt om geluk te wensen, bv. bij een huwelijk of een vertrek voor de hadj.

Mijn vader, Mimoun Zahnoun, in Mekka. Het is de droom van elke moslim om eenmaal in zijn leven deze bedevaart te doen.

Mijn ouders bezochten alle plaatsen in het gebied tussen Medina en de berg Arafat waar Abraham zijn offer bracht. Ze werden hierbij vergezeld door massa's mensen. Miljoenen medebedevaarders, van alle nationaliteiten.

Tijdens de tweede week van de bedevaart kon mijn moeder op een avond niet naar het avondgebed. Ze had een verkoudheid en voelde zich niet zo goed. Ze bleef alleen achter in de vrouwenslaapzaal van het hotel waar ze verbleven. Door de vermoeidheid viel ze vlug in slaap en ze kreeg een van haar opmerkelijke dromen. Ze droomde dat ze was verdwaald. Ze was op zoek naar de weg die naar de moskee leidde, maar kon hem niet vinden. Onderweg zag ze twee meisjes, helemaal in het groen. Ze kwamen naar haar toe en wenkten om hen te volgen naar de moskee. Terwijl ze stapten, sloten zich meer en meer mensen bij hen aan. Plots zag moeder haar zoon Hajri die helemaal in het wit was gekleed. Hij stapte vooraan. Ze begon daarom sneller te stappen en riep dat hij moest wachten. Hajri draaide zich niet om, maar deed een teken met de hand dat zij moest volgen. Door dit simpele gebaar voelde ze zich niet meer verloren en dat gaf haar opnieuw moed. Mijn moeder was erg mystiek en dromen gaven veel betekenis aan haar leven.

De plechtigheid van de hadj raakte mijn ouders diep, en zorgde voor een intens rustgevoel. Duizenden mensen samen in zoveel samenhorigheid die zevenmaal rond de Ka'aba[8] stappen, dat was voor hen een onvergetelijke gebeurtenis.

Op de dag van het offerfeest, ter nagedachtenis van het offer van Abraham, offerden ze twee schapen. Dit ritueel werd ook door de andere deelnemers uitgevoerd. Miljoenen schapen werden aan de lopende band geslacht. Ze werden meteen van hun vel ontdaan en het vlees werd in diepvriescontainers geladen voor transport naar de arme landen van Afrika en Azië. Van het vel werden vloerkleden gemaakt. Zo volbrachten de pelgrims een andere basisplicht: de *sadaqa,* het schenken van aalmoezen.

---

8 Ka'aba: het eerste huis, volgens de overlevering, door Ibrahim (Abraham) voor de ene, enige God gebouwd. De Ka'aba bevindt zich in de grote moskee van Mekka.

De wereld verandert, 1992

Niemand kan de toekomst voorspellen, zoals wij aan den lijve hebben ervaren. De Grote Droogte, ons leven in Algerije, de huizen die we hebben moeten achterlaten... Als er iets ernstigs gebeurt in je land, blijft de toekomst altijd onzeker. Zelfs voor wie er geboren is. Zekerheden vallen weg.

De mensen werden angstig door de gebeurtenissen in het oosten en in de Afrikaanse landen. Daar was voldoende rijkdom, maar de samenlevingen werden er toch getekend door oorlog, bloed en honger. Het belangrijkste gespreksonderwerp, als we met familie of met vrienden samenzaten, was de angst dat er een grote oorlog zou uitbreken. Een oorlog die zou leiden tot het gebruik van chemische wapens. Bovendien was ook een economische crisis niet ondenkbaar in en buiten Europa. De spanning tussen Irak (dat weigerde zich terug te trekken uit Koeweit) en de Verenigde Staten en zijn bondgenoten steeg met de dag. Een spanning die uiteindelijk niet meer met diplomatiek overleg kon worden opgelost, maar uitmondde in een conflict waarbij de taal van de wapens gold.

Mensen van diverse herkomst en nationaliteit vreesden dat een derde wereldoorlog zou losbarsten. Gedreven door paniek zag ik mensen massaal droog voedsel opkopen om te bewaren. Vooral oudere mensen – die vroeger al een oorlog hadden meegemaakt en wisten hoe belangrijk een voorraad voedsel was in tijden van hoge nood – begonnen te hamsteren.

Maar de echte, grote vrees gold vooral voor Israël en Saoudi-Arabië die door Irak bedreigd werden zodra de

Verenigde Staten met hun bondgenoten het land zouden aanvallen. Irak was weliswaar maar een klein land in vergelijking met een grootmacht als de Verenigde Staten met zijn gesofistikeerde wapens en zijn vernietigende nucleaire wapens, maar toch...

Het ultimatum voor de terugtrekking uit Koeweit was verstreken en enkele dagen later brak inderdaad de oorlog uit. Veel mensen bleven wakker om de beelden van de eerste luchtaanvallen en het grondoffensief op televisie te volgen. Na één nacht telde deze oorlog al talrijke doden en gewonden.

De Eerste Golfoorlog duurde uiteindelijk een paar maanden. Israël en Saoudi-Arabië werden enkele malen door raketten geraakt, maar tot onze opluchting werden er geen chemische wapens ingezet. Uiteindelijk werd Irak almaar zwakker omdat de belangrijkste stellingen vernietigd werden. De Iraakse troepen trokken zich terug, maar niet voordat ze alle petroleumbronnen in brand hadden gestoken. Op televisie konden we de beelden zien hoe Koeweit verdween in een wolk van zwarte rook. De bronnen van olie en bloed gingen in rook op.

Dada Chawcha, 1995

Op een morgen in de herfst van 1995 verspreidde de zon haar gouden glans over de bergen en over de huizen van ons dorp in Marokko. De dagelijkse geluiden weerklonken. Mensen die naar het werk vertrokken, kinderen met vrolijke stemmen die naar school gingen, winkeliers die hun deuren openden...

Mijn grootmoeder, Dada Chawcha, de vrouw die altijd vroeg opstond, zou niet meer opstaan. Dit was haar laatste nacht, haar laatste droom. Ze stierf in haar slaap, in haar kleine kamer, met haar ogen dicht maar met een glimlach om de mond.

We kregen het bericht van de familie in Marokko. Mijn grootmoeder was haar hele leven een steun voor de familie geweest, een sterke vrouw die voor haar man had gezorgd, die samen met hem vijf kinderen ter wereld had gebracht... en nu was die vrouw overleden.

Dada Chawcha was altijd een vrolijke vrouw gebleven. Ze lachte graag. Ze hield van religieuze gezangen en ritme in een sfeer van wierook en geuren. Ze hield van haar konijnen en kippen die ze boven op het terras van ons huis verzorgde.

In haar kamer bewaarde ze die laatste jaren niets anders dan haar kleren, een paar dekens en haar bendir die aan de muur hing. Haar belangrijkste gezelschap was een kleine poes die elke morgen wachtte tot oma wakker werd en haar melk gaf.

Op de begrafenis waren opnieuw alle familieleden aanwezig tezamen met de buren, kinderen en kleinkinderen. Iedereen nam deel aan het middaggebed.

Grootmoeder werd gebraven op de begraafplaats van Sidi Yahya, op de plaats waar ook de pasgeborenen en de zeer jonge kinderen worden begraven, als eerbetoon. Zij was een van de oudste vrouwen die op die begraafplaats een graf kreeg. Zij is 108 jaar oud geworden. Haar eigen naam was Fadma Bent Si Amar, getrouwd met en weduwe van Moh ou Dadi. Haar bijnaam was Dada Chawcha.

Het graf van mijn grootmoeder in Sidi Yahya. Zij werd 108 jaar oud.

Trekvogels, 1996

Enkele jaren later, in 1996, werd mijn vader Mimoun erg ziek. Met spanning wachtten we de uitslag van het onderzoek af. Mijn vader werd ongeneeslijk verklaard: kanker. We moesten ons verwachten aan een spoedig einde.

Zijn ziekte dompelde de familie in diep verdriet. We weenden samen en dachten na over een manier om vader het beste afscheid te geven. Mijn moeder besloot dat ze haar man – die ze waardeerde als een voortreffelijke echtgenoot en een goede vader voor haar kinderen – naar zijn huis in Marokko moest brengen zodat de familie hem een laatste maal kon groeten. Zo vertrokken we, samen met onze zieke vader, per vliegtuig naar Marokko, deze keer met minder mooie vooruitzichten. De hele familie, van ver en dichtbij, kwam hem nog een laatste maal bezoeken. Het waren dagen van groot verdriet, maar ook van ontroering. Mijn vader at niet meer, dronk enkel nog wat water en werd zienderogen magerder. Hij ijlde en sprak in zijn slaap met zijn ouders, met zijn broer. Hij riep naar zijn moeder die hij amper gekend heeft. Het leek alsof hij sprak met de doden die hem verwelkomden. Twee weken later overleed hij.

We legden hem, zoals de traditie het vraagt, op een grote tafel. We wasten hem en legden hem in een kist om hem naar de moskee te voeren voor het doodsgebed. Iedereen bad voor hem. Tranen vloeiden. Daarna droegen we hem naar buiten en brachten hem, gevolgd door familie en vrienden, tot op de begraafplaats in Sidi Yahya. Daar ligt ook mijn grootmoeder begraven, net als Ahmed Achbdan, de beste vriend van mijn vader op oudere leeftijd. Voor mij was dit het moeilijkste ogenblik: het moment dat vader uit de kist werd gehaald, gehuld in de lijkwade en in het graf gelegd. Dit was het onherroepelijke afscheid.

Voor mijn moeder brak een moeilijke tijd aan. Ook zij moest leren omgaan met dit afscheid. Ze vertelde later over een zeer vreemde droom. Mijn vader kwam naar haar toe met een mooi lichtoranje paard, vader was helemaal in het wit gekleed. Ze vroeg hem: 'Van wie is dat paard?'

Hij antwoordde: 'Het is van mij en het is een geschenk van God.'

Ze werd wakker en had even het gevoel dat hij terug bij haar was. Die droom gaf haar zoveel blijdschap. Ze was zo ontroerd dat ze haar man had teruggezien en met hem had gesproken. Maar het bleef uiteindelijk maar een droom en toen ze naast haar keek, zag ze het lege kussen. Haar man was weg, voor altijd. Ze bleef op bed liggen met al haar herinneringen.

Mijn ouders waren naar dit land gekomen in de veronderstelling hier enkele jaren te blijven, hard te werken, en geld te sparen. Om daarna weer in Marokko verder te leven. Ze wilden er een groentewinkel beginnen, maar van die plannen is niets in huis gekomen. Door de omstandigheden, maar ook door de kinderen die opgroeiden in een andere maatschappij, met nieuwe vrienden, in een nieuwe school, in een heel andere omgeving. Ze werden in België een nieuwe generatie migranten. Zelfs als de kinderen met hun ouders spraken, spraken ze een andere taal met een ander accent, met het accent van hun nieuwe thuis.

Het verleden van mijn ouders, hun leven samen, alles wat ze hadden meegemaakt en de jaren die voorbij waren gevlogen... Het was zoals een droom, vluchtig, ongrijpbaar. Ze hadden in hun moederland huizen gebouwd voor de kinderen en de kleinkinderen, maar wat hadden ze bereikt? De kinderen en kleinkinderen gingen elk jaar – en zelfs dat niet altijd – slechts voor enkele weken naar dit land, voor de zon, de zee en de familie. Ze leken wel trekvogels die jaarlijks weggaan en terugkeren.

'Maar wat zal hun toekomst zijn, hier in Antwerpen of daar in Marokko of ergens anders? Wat zal er worden van hun cultuur, hun taal, hun geloof. Zullen ze het allemaal vergeten of niet?'

Nine-eleven, 2001

Nine-eleven. Het is een woord geworden dat iedereen kent, weliswaar met een eigen betekenisinvulling. Het beeld blijft wel voor iedereen hetzelfde: het World Trade Center in New York dat helemaal niet berekend is op zo'n ramp, twee hoge kantoortorens die instorten, kantoorbedienden die radeloos rondrennen op zoek naar een uitweg... De aanslag van Al Quaida op dit symbool van economische macht van de Verenigde Staten deed ook in mijn omgeving de ongerustheid toenemen. Wij waren gewone migranten die niets te maken hadden met New York of de aanslag, maar toch beseften we dat ook wij aan de gevolgen van die aanslag niet zouden ontsnappen. De aanslag ontketende een grote afkeer en veel woede tegen de islam, overal, in alle landen, niet alleen in de Verenigde Staten.

Voor de Amerikanen was het een zware psychologische schok. Voor de eerste keer werd het Amerikaans grondgebied zelf aangevallen en waren het niet de Amerikanen die een ander grondgebied aanvielen. Voor de eerste keer bleek het land niet de onaantastbare thuishaven. Daarmee zouden ze voortaan rekening moeten houden. En overal ter wereld had men het bewijs gezien hoe genadeloos en onverwacht Al Quaida kon toeslaan.

Is het enkel onbegrip, eenzaamheid of zou het toch pure haat zijn waarin moslims en niet-moslims na deze aanslag verzeild geraakt zijn? Na de aanslag volgden de incidenten elkaar op. In Nederland werd in 2004, omwille van een misbruikte tekst uit de Koran, de filmmaker Theo van Gogh vermoord. De Nederlandse samenleving worstelde opeens met een tot dan onbekend probleem. Het losstaande incident werd meteen uitvergroot tot een terroristische aanslag, hoewel het ging om een geloofseremoord en het incident op zich niets met Al Quaida te maken had.

Een jaar later publiceerde een Deens dagblad twaalf satirische spotprenten van de profeet Mohammed. Dit leidde tot zoveel woede en verontwaardiging aan zowel islamitische als westerse zijde, dat naar schatting wereldwijd honderd mensen om het leven kwamen tijdens de daaropvolgende 'cartoonrellen'.

Ook Antwerpen bleef ondertussen niet gespaard. Door een vergelijkbare gebeurtenis in 2002 werd de samenleving gedwongen tot een maatschappelijk zelfonderzoek. Een jonge Marokkaanse godsdienstleraar, met veel aanzien bij de jongeren van de moslimgemeenschap, werd door zijn Belgische buurman vermoord in een wijk rond de Turnhoutsebaan. De reactie volgde meteen. Abou Jahjah, stichter van de Arabisch-Europese Liga (AEL), riep zijn vrienden op om de volgende avond te betogen en oogstte heel veel bijval. Ze waren er allemaal. Ze waren met velen, de gemoederen waren erg verhit en zo werd helaas veel schade aangericht. Auto's en winkels moesten het ontgelden. De politie kwam met versterking en nam maatregelen. De aanvoerder, Abou Jahjah, werd aangesproken door hoofdcommissaris Luc Lamine die persoonlijk de ordemaatregelen leidde. Van dit gesprek nam de intussen opgedaagde televisieploeg beklijvende beelden: twee mannen die bewust van het belang van dit moment elkaar eerlijk toespreken, ook al verstaat de kijker niet direct wat ze zeggen. Ongetwijfeld moeten de twee mannen felle woorden gesproken hebben, zeker als je rekening houdt met de opgewonden menigte en de ernst van de situatie. Later heeft commissaris Lamine verteld dat Abou Jahjah voorstelde de jongeren tot kalmte te brengen. De enige, verstandige houding in deze situatie.

Het incident in Borgerhout heeft duidelijk gemaakt dat bepaalde problemen en onderwerpen zonder uitstel aan bod moesten komen. Problemen met tewerkstelling. Mogelijkheden tot vervolmaking, specialisatie of het aanleren van een andere job. Onderwerpen zoals gelijke kansen en een degelijke huisvesting.

Van deze kansen hebben een aantal onder ons kunnen profiteren, maar velen ook niet. Terwijl wij, Marokkanen van de eerste generatie, alle jobs aannamen waar de Belgen hun neus voor ophielden en zo in de jaren 60 meewerkten aan de economische bloei van het nieuwe thuisland, is vandaag de werkloosheid bij de migranten van de tweede en derde generatie onrustwekkend hoog. Ondertussen werd de maatschappij ook rechtser en is de kloof tussen allochtonen en autochtonen groter dan ooit. We leven sinds de 'aanwerving' samen in één land, maar nog steeds in twee verschillende werelden. Werelden die elkaar al drie generaties raken, elkaar uitdagen, maar zelden of nooit versmelten. Werelden die, na al die jaren, nog gescheiden zijn door eigen grenzen...

De onverwachte Arabische lente, december 2010-januari 2011

Veel Arabische mensen hadden genoeg van de wrede samenleving die hun leven beheerste. Ze wilden een nieuwe lente, een eerlijke lente, een lente die dromen zou verwezenlijken. Dromen van een goed leven, dromen van een toekomst voor de kinderen. Ze hadden genoeg van de onderdrukking en de corruptie, van al die oorlogen die massa's geld kosten, van de gruwelijke beelden en het bloed op het televisiescherm.

En plots stond een nieuwe generatie op. Zo anders dan de oudere generaties. Jongeren die zich niets lieten wijsmaken. Jongeren die wakker van geest waren, de ogen geopend door wat ze geleerd en gezien hadden. Jongeren met moed.

Jongeren die niet meer geloofden in de politieke regimes die al bijna een halve eeuw aan de macht waren. Ze stelden vragen en begonnen te protesteren. Het was genoeg geweest. De tijd was gekomen voor rechtvaardigheid, vrijheid, democratie, werk en een toekomst: een toekomst voor hun land en hun kinderen.

Hun stem klonk voor het eerst in Tunesië. Hun enige wapen was het internet. Ze kwamen in groten getale op straat en bezetten pleinen, bereid zichzelf op te offeren voor hun land. Er vielen vele slachtoffers, vele doden, maar ze slaagden in hun opzet. Op 14 januari 2011 pakte president Ben Ali zijn koffers en zocht een onderkomen in Saoudi-Arabië.

En toen volgde Egypte. Daar zorgden de oorspronkelijk vreedzame betogingen al snel voor een ingewikkeld politiek probleem. In Egypte was er te weinig eensgezindheid. President Mubarak trad in februari onder druk van de demonstranten af en werd later veroordeeld tot de doodstraf. De Moslimbroederschap haalde de meerderheid in de verkiezingen en stelde president Morsi aan. Na twee jaar keerde het protest zich ook tegen de nieuwe machthebber omdat hij te weinig inspanningen deed om de economie aan te zwengelen en te veel macht naar zich toetrok. Na een staatsgreep kwam de macht opnieuw in handen van het leger. Het Tahrirplein is ondertussen een nationaal symbool geworden: een symbool voor de vele doden die er door het hardhandige optreden van de machthebbers zijn gevallen.

Twee dagen na Egypte volgde Jemen. Parlementsleden van de regeringspartij namen ontslag, maar het duurde tot november 2011 voor president Saleh zelf zijn ontslag gaf. Na de presidentiële verkiezingen werd de macht overgedragen aan de enige kandidaat voor het presidentschap: Abd Rabbuh Mansur Al-Hadi. Ook in Libië begon het protest met zware gevechten en een massa doden. Kolonel al-Qadhafi verloor alle steun van het Westen en kwam helemaal alleen te staan. Hij werd omsingeld nabij de stad Sirte, gevonden en opgepakt door een rebel. Die rebel schoot hem door het hoofd en sleurde zijn lijk op straat om de wereld te tonen dat het eindelijk gedaan was met al-Qadhafi.

Na protesten in nog heel wat andere Arabische landen volgde ten slotte op 15 maart Syrië, het land dat nog het hardst getroffen is. In Syrië is het één slachtpartij met duizenden burgerslachtoffers door kogels, bombardementen en chemische wapens. Een gruwelijke burgeroorlog tussen moslimbroeders, tussen Soennieten en Sjiieten, handig gemanipuleerd door president Bashar al-Assad, met de steun van andere grootmachten.

Religies worden uitgespeeld en als excuus gebruikt in de strijd om rijkdom en grondstoffen. Een strijd die de wapenhandel doet floreren. Net zoals die eeuwenlange oorlog die vandaag nog steeds verder woedt: de oorlog die is begonnen door twee neven van onze stamvader Abraham, de oorlog tussen Palestina en Israël met als twistappel de heilige stad Jeruzalem, het gebied tussen de joodse klaagmuur en de Arabische Al-Aqsamoskee. Een oorlog over een land dat feitelijk uitsluitend bestaat uit fruitbomen, stenen, zand en woestijn.

'Wanneer zal dit ophouden?' vraag ik mij vaak af. 'Wanneer kunnen volkeren eindelijk in alle rust, op een billijke en wettelijke wijze verder leven, de wapens neerleggen en samenleven, ieder met zijn eigen geloof? Noch je huidskleur, noch je kleding of het hoofddeksel dat je draagt, noch de vorm van ogen of neus, noch het feit dat je boeddhist of jood bent, christen of moslim... maken enig verschil. Wij zijn allemaal mensen, inderdaad met een verschillend uiterlijk, maar ons bloed heeft dezelfde kleur. Wij zijn hier op deze aarde om te lezen en te leren, om elkaar en elkaars geloof te respecteren. Wij zijn alleen maar voorbijgangers. Wij blijven niet eeuwig leven. Wij zijn gekomen om de aarde te bewerken. En van de aarde krijgen wij onze voeding. Alleen het lot bepaalt op welke plek wij worden geboren en wat de aarde ons geeft of wanneer de dag komt dat de aarde ons zal toedekken en begraven.'

Ik hoop uit de grond van mijn hart dat de nieuwe lente er uiteindelijk voor zal zorgen dat voor alle mensen en toekomstige mensen een betere tijd zal aanbreken. Dat al diegenen die voor deze nieuwe lente hebben gestreden, dat al die onschuldige doden – jong en oud – die in onze gedachten verder leven, niet voor niets zijn gestorven.

Ik ben in elk geval blij voor de nieuwe lente in mijn eigen land, Marokko. En ik ben fier op de verstandige en wijze oplossing die het land heeft gevonden. Zonder bloedvergieten of geweld. Koning Mohamed VI zocht de dialoog op met de oppositie en heeft democratische grondwetsherzieningen ingevoerd. Er werden nieuwe verkiezingen uitgeschreven en deze werden met een grote meerderheid gewonnen door de Partij voor Gerechtigheid en Ontwikkeling. Hun voorzitter Abdelilah Benkirane werd minister-president. Het is de allereerste Arabische minister die een democratische en islamitische politiek voert en de ontwikkeling van een nieuw en modern Marokko nastreeft. Een toonbeeld voor alle andere Arabische landen.

Fadma Bent Moh ou Dadi N'Tahar, 2014

Mijn moeder heeft het jaar 2014 maar enkele weken overleefd. Ze stierf op 23 januari, op zeventachtigjarige leeftijd. Ze had zoveel meegemaakt, maar tot het einde van haar leven stond ze sterk, moedig, met trots en eer in het leven. Met een deel van haar hart in Marokko, met een deel van haar hart bij haar kinderen in België. Het hart van de vrouw waarmee dit boek begonnen is, heeft het uiteindelijk begeven en rust nu in Gods handen in Marokko, in Oujda.

Na het gebruikelijke afscheidsritueel, in het bijzijn van onze grote familie, is ze begraven in Sidi Yahya, op dezelfde begraafplaats als mijn oma, mijn vader en mijn tante Fatima die enkele jaren eerder overleed.

Voor ik naar België terugkeerde, ben ik met mijn broer Saïd naar haar graf gegaan en naar het graf van onze vader, als afscheid en om vergeving te vragen. Het was een vrijdag, de dag dat islamieten hun verdriet en emoties mogen tonen en beleven. Nadien gingen we elk onze eigen weg.

Sommige mensen geloven dat de doden hen zullen antwoorden of dat ze elkaar zullen weerzien in een andere wereld. Ieder beleeft het leven op zijn eigen manier, ieder zijn geloof. Op een bepaalde nacht werd ik bezocht door een vreemde droom: ik wandelde in een mooi bos met veel bomen en ik zag twee prachtige vogels op een tak. Toen ik dichterbij kwam, vloog een van hen weg. De andere, met prachtig gekleurde pluimen, bleef onbeweeglijk zitten. Met een verdrietige blik. Toen ik naderbij kwam, zag ik dat de vogel vastgebonden was met een fijn touw. Hij wachtte vol verwachting op iemand die hem zou bevrijden. Ik ging naar hem toe om hem te verlossen. Maar toen ik aanstalten maakte om hem te bevrijden, schoot het touw vanzelf los. De vogel landde op mijn blote arm. Hij wreef van blijdschap zacht met zijn snavel op mijn huid, vloog weg en liet alleen een mooie pluim achter.

Met deze droom van hoop en vrijheid eindig ik onze familie-geschiedenis en mijn verhaal.

Epiloog

Handwerpen

Sinds ik in Antwerpen ben aangeland
Heb ik talloze handen gekend,
ontmoet en gevoeld.
Wit, zwart en gemengd,
De goede en de slechte,
de zachte en de harde,
De eerlijke en de hypocriete,
De warme en de koude.
Handen die willen helpen
En handen die willen nemen.
Handen met een open hart
En handen als prikkeldraad.
Handen die hun deuren openen
En handen die elke toegang sluiten.
En onverminderd blijf ik op zoek
naar de uitgestoken hand.

- Abdelkader Zahnoun

Abdelkader Zahnoun

Het nieuwe Cordoba, 2010

Op een lentedag – de dag dat ik met de groep zou optreden voor het huldeconcert aan Wannes Van de Velde – nam ik mijn instrument en wandelde de straat in. Ik had plots behoefte om door de stad te kuieren, langs de Schelde, de Grote Markt, de Meir... Die dag zag ik, overduidelijk, hoeveel verschillende mensen in Antwerpen rondlopen. Mensen met een donkere huidskleur en donker haar naast blonde mensen. Sommige met een grote en krachtige lichaamsbouw, andere licht van gestel, snel en vinnig. Hier en daar een straatmuzikant of een clown en toeschouwers rondom. Hoe uniek ook, allemaal liepen we hier door dezelfde straten en ik voelde een grote warmte van deze plek uitgaan.

Toen het tijd werd, nam ik de tram en toen viel het me op hoeveel talen er werden gesproken. De ene belde luid naar een vriend in het Afrikaans, een andere telefoneerde in het Marokkaans, sommige mensen zaten luidop te discussiëren in een Oost-Europese taal, achteraan zaten jonge gasten te lachen met een mop en mixten de eigen taal met een paar woorden Nederlands... ik keek rond naar al die verschillende kleuren, glanzend ivoor, mat pikzwart, stralend geel, lichtgrijs, blozend blank en ik dacht: 'Het is hier vandaag zoals Wannes Van de Velde tien jaar geleden in een lied heeft beschreven. Een lied dat we samen op cd spelen en tientallen keren op scène vertolkten, met een boodschap die toen niemand begreep: 'Nieuw Cordoba.'

Het nieuwe Cordoba
De stad verandert met de tijden
Daarom verandert heur gezicht
Maar dikwijls moet ze daarvoor lijden
Gelijk een moeder voor heur wicht
Ze klinkt in alle talen
De creatieve pijn
We moeten veel betalen
Voor mens te kunnen zijn
Cordoba, Cordoba, ik droom van nieuw Cordoba
Van talen en van kleuren
Van vreugden en van pijn
Van dagen en momenten
Die eeuwig kunnen zijn.

– *Wannes Van de Velde*